Acerca del autor de la materia

El Rev. Dr. Don L. Davis es el Director Ejecutivo de The Urban Ministry Institute [El Instituto Ministerial Urbano y vicepresidente de *World Impact*. Asistió a la Universidad de Wheaton y la Escuela de Graduados de *Wheaton*, y se graduó con el grado summa cum laude tanto en su B. A. (1988) como en su M. A. (1989), en estudios bíblicos y teología sistemática, respectivamente. Obtuvo su Ph.D. en religión (Teología y Ética) de la Escuela de religión de la Universidad de Iowa.

Como Director Ejecutivo del Instituto y Vicepresidente Senior de *World Impact*, supervisa la formación de los misioneros urbanos, plantadores de iglesias y pastores de la ciudad, y facilita las posibilidades de formación para los obreros urbanos cristianos en la evangelización, igle-crecimiento, y misiones pioneras. También dirige los programas extensivos de aprendizaje a distancia del Instituto y facilita los esfuerzos de desarrollo de liderazgo para las organizaciones y denominaciones como la Confraternidad Carcelaria, la Iglesia Evangélica Libre de América, y la Iglesia de Dios en Cristo.

Ha sido un recipiente de numerosos premios académicos y de enseñanza, el Dr. Davis ha servido como profesor y docente en varias instituciones académicas finas, habiendo impartido conferencias y cursos de religión, teología, filosofía y estudios bíblicos en escuelas, como *Wheaton College*, Universidad de *St. Ambrose*, la Escuela Superior de Teología de *Houston*, la Universidad de Iowa de la religión, el Instituto Robert E. Webber de Estudios de adoración. Es autor de varios libros, programas de estudio y materiales de estudio para equipar a los líderes urbanos, entre ellos el currículo *Piedra Angular*, que consiste en dieciséis módulos de educación a distancia a nivel de seminario de TUMI, *Raíces Sagradas: Una cartilla para recuperar la Gran Tradición*, que se centra en cómo las iglesias urbanas pueden renovarse a través de un redescubrimiento de la fe ortodoxa histórica, y *Negro y humano: Redescubriendo al rey como recurso para la teología y ética negra*. El Dr. Davis ha participado en cátedras académicas, tales como el ciclo de conferencias *Staley*, conferencias de renovación como las manifestaciones *Promise Keepers*, y consorcios teológicos como la Serie de proyectos teológicos vívidos de la Universidad de Virginia. Recibió el Premio Distinguido *Alumni Fellow* de la Universidad de Iowa Colegio de Artes Liberales y Ciencias en el 2009. El Dr. Davis es también un miembro de la Sociedad de Literatura Bíblica, y la Academia Americana de Religión.

Acerca de la adaptación y traducción de la materia

Se intentará usar un lenguaje muy genérico. Cuando se empezó la adaptación al español de este currículo, se inició reconociendo la realidad de que el castellano tiene grandes variaciones aun dentro de un mismo país. Si bien es cierto que hay un consenso referente a nuestras reglas gramaticales, el tal no existe cuando se trata del significado o el tiempo de las palabras de uso común (por ejemplo, dependiendo de la región de un país, la palabra "ahora" pudiera significar tiempo pasado, presente o futuro). Aquellos que han tenido el privilegio de misionar transculturalmente, han experimentado claramente las pequeñas o enormes variaciones de este precioso idioma. Por esta razón, el estilo de adaptación y traducción que se emplea considera que, aunque se hable el mismo idioma, hay diferencias lingüísticas que deben ser reconocidas al adaptar el contenido de esta materia. Se ha hecho el intento, en este material, de usar un lenguaje propio, sencillo y claro; evitando comprometer los principios lingüísticos que los unen.

Se pretende usar reglas de puntuación que beneficien al estudiante. Por otro lado, por el hecho de que el contenido de este curso está dirigido a hombres y mujeres bivocacionales, comprometidos con el reino de Dios, multiplicando iglesias en las zonas urbanas de la ciudad, que ya están marchando o han arribado a un ministerio de tiempo completo, se usarán reglas gramaticales de puntuación que agilizen la captación del contenido de una forma más efectiva.

Se procurará ampliar el vocabulario del estudiante. Ahora bien, con el fin de ampliar éste y enriquecer su lenguaje teológico, aun cuando suponemos que el estudiante no está familiarizado con tal vocabulario, se hacen redundancias para comunicar sus variaciones y hacer mejor sentido del mismo (algunas veces se anexa una nota al lado de la página para mayor claridad).

Acerca de la Biblia que usamos

Dado que el fin de este curso es el estudio teológico de la Palabra de Dios, se ha optado por utilizar traducciones de la Biblia que son esencialmente literales como la Reina Valera 1960 y la Biblia de las Américas, siendo éstas ampliamente aceptadas como Biblias de púlpito por la Iglesia. Se evita usar traducciones de equivalencia dinámica tal como la Nueva Versión Internacional, o paráfrasis bíblicas como Dios Habla Hoy, a menos que el énfasis sea interpretativo y/o se indique previamente.

En nombre de los autores, profesores, traductores, editores y publicadores, le presentamos este material con todo el voto de confianza que se merece. ¡Que su Palabra nunca regrese vacía!

~ Enrique Santis, traductor y presentador de Piedra Angular quien sirvió como director en el Ministerio Hispano de World Impact, Inc. por varios años.

LIBRO DE NOTAS Y TAREAS
DEL ESTUDIANTE

Capstone Curriculum

Módulo
11

Ministerio Cristiano

Practicando
el Liderazgo
Cristiano

Dirigiendo una Adoración Eficaz:

ADORACIÓN, PALABRA *y* SACRAMENTO

. . . .

Educación Cristiana Eficaz:

INCORPORANDO, MENTOREANDO *y* DISCIPULANDO

. . . .

Disciplina Eficaz de la Iglesia:

EXHORTANDO, REPRENDIENDO *y* RESTAURANDO

. . . .

Consejería Eficaz:

PREPARANDO, CUIDANDO *y* SANANDO

Este plan de estudios es el resultado de miles de horas de trabajo por The Urban Ministry Institute (TUMI) y no debe ser reproducido sin su autorización expresa. TUMI apoya a todos los que deseen utilizar estos materiales para el avance del Reino de Dios, y hay licencias al alcance disponibles para reproducirlos. Por favor, confirme con su instructor que este libro tiene una licencia adecuada. Para obtener más información sobre TUMI y nuestro programa de licencia, visite *www.tumi.org y www.tumi.org/ license*.

Capstone Módulo 11: Practicando el Liderazgo Cristiano Libro de notas del estudiante

ISBN: 978-1-62932-111-0

© 2005. The Urban Ministry Institute. © 2007, 2011, 2013, 2017. Traducido al español.
Todos los derechos reservados internacionalmente.

Primera edición 2007, Segunda edición 2011, Tercera edición 2013. Cuarta edición 2017.

El Instituto Ministerial Urbano es un ministerio de World Impact, Inc.

Índice

Introducción al módulo

¡Saludos, queridos amigos, en el poderoso nombre de Jesucristo!

Bienvenidos al Módulo 11 de nuestro Currículo Piedra Angular, cuyo título es *Practicando el Liderazgo Cristiano*. Demostramos la devoción a nuestro Salvador al practicar un liderazgo que le honre y glorifique, y que a la vez edifique a su pueblo. Exploraremos estos importantes conceptos y prácticas a lo largo de este estudio.

La primera lección, **Dirigiendo una Adoración Eficaz,** considera que representar al Señor Jesús es algo fundamental en cada aspecto del liderazgo cristiano ya que somos sus agentes y siervos. Otro concepto que también consideraremos ya que va de la mano con el anterior, es el papel del ministerio de la Palabra y los sacramentos en el pueblo de Dios. A través de esta lección veremos cómo nosotros, como líderes cristianos, podemos conducir al pueblo de Dios a experimentar su gracia y dirección mediante un ministerio efectivo de la Palabra de Dios y de una fiel práctica de los sacramentos de la Iglesia.

En nuestra segunda lección, **Educación Cristiana Eficaz**, exploraremos la idea de traer a nuevos creyentes a nuestras iglesias, tratando específicamente en cómo les damos la bienvenida y los integramos a nuestra vida de comunidad. También exploraremos el concepto del cuidado paterno y del discipulado en la Iglesia. Juntos miraremos cuidadosamente el significado de paternidad espiritual, buscando definir y bosquejar de manera bíblica una práctica que nos permita ayudar a los nuevos creyentes a madurar en Cristo.

Luego, la lección tres, **Disciplina Eficaz de la Iglesia**, trata acerca de un importante aspecto del liderazgo cristiano. La práctica del liderazgo cristiano implica nuestro conocimiento de los principios de exhortación bíblica, y aquí exploraremos las razones por las cuales este ministerio es tan necesario para los líderes que sirven entre el pueblo de Dios. En esta lección trataremos también la práctica de la disciplina en la iglesia. Miraremos las definiciones bíblicas y las guías prácticas de la corrección y restauración divinas, en el contexto de la comunidad de Dios.

Finalmente, en la lección cuatro nos enfocaremos en el tema de la **Consejería Efectiva: Preparando, Cuidando y Sanando**. Aquí definiremos la consejería bíblica eficaz, comenzando con una explicación general del concepto y sus implicaciones para nosotros como líderes cristianos urbanos. Nuestra meta será comprender las implicaciones pastorales y terapéuticas de aconsejar y dirigir al pueblo de Dios. Juntos descubriremos cómo podemos servir mejor a aquellos que se encuentran en el lado oscuro de la vida, en tribulaciones y en necesidad. Como siervos de Dios y pastores de su pueblo, veremos cómo podemos llevar las cargas de aquellos que están experimentando algún problema o tensión, y hacer todo lo posible para edificar al rebaño de Dios, a medida que Él nos dé la oportunidad.

¡Qué aventura es servir al Dios vivo al cuidar y servir a su amado pueblo! ¡Mi oración es que sea el líder cristiano que Dios quiere que sea, todo para Su gloria!

- Rev. Dr. Don L. Davis

Requisitos del curso

**Libros requeridos y
otros materiales**

- Biblia y Concordancia (es preferible para este curso la versión Reina Valera 1960 o La Biblia de las Américas. Sienta la libertad de utilizar traducciones *dinámicas* como por ejemplo la Nueva Versión Internacional, pero evite las paráfrasis, tales como Dios Habla Hoy, La Biblia al Día, La Versión Popular, etc.).

- Cada módulo de Piedra Angular ha asignado libros de texto, los cuales son leídos y discutidos a lo largo del curso. Le animamos a leer, reflexionar e interactuar con ellos con sus profesores, mentores y compañeros de aprendizaje. De acuerdo a la disponibilidad de los libros de texto (ej. libros fuera de impresión), mantenemos nuestra lista oficial de libros de texto requeridos por Piedra Angular. Por favor visite www.tumi.org/libros para obtener una lista actualizada de los libros de texto de este módulo.

- Papel y pluma para sus notas personales y completar las asignaturas en clase.

Porcentajes de la calificación y puntos

Requisitos del curso

Asistencia y participación en la clase	30%	90 pts
Pruebas	10%	30 pts
Versículos para memorizar	15%	45 pts
Proyecto exegético	15%	45 pts
Proyecto ministerial	10%	30 pts
Asignaturas de lectura y tareas	10%	30 pts
Examen Final	10%	30 pts
Total:	100%	300 pts

Requisitos del curso

La asistencia a clase es un requisito del curso. Las ausencias afectarán su nota final. Si no puede evitar ausentarse, por favor hágalo saber anticipadamente a su mentor. Si no asiste a clase, será su responsabilidad averiguar cuáles fueron las tareas de ese día. Hable con su mentor acerca de entregar el trabajo en forma tardía. Gran parte del aprendizaje de este curso es llevado a cabo por medio de las discusiones en grupo; por lo tanto, es necesario que se involucre en las mismas.

Asistencia y participación en la clase

Cada clase comenzará con una pequeña prueba que recordará las ideas básicas de la última lección. La mejor manera de prepararse para la misma es revisar el material de su Libro de Notas y Tareas del Estudiante y las notas extraídas en la última lección.

Pruebas

Memorizar la Palabra de Dios es, como creyente y líder en la Iglesia de Jesucristo, una prioridad central para su vida y ministerio. Deberá memorizar relativamente pocos versículos; no obstante, los mismos son significativos en su contenido. Será responsable en cada clase de recitar (verbalmente o escribiéndolo de memoria) el versículo asignado por su mentor.

Versículos para memorizar

Las Escrituras son el instrumento poderoso de Dios para equipar a los creyentes con el objeto de que puedan enfrentar la obra ministerial a la cual Él los ha llamado (2 Ti.3.16-17). Para completar los requisitos de este curso, deberá hacer por escrito un estudio inductivo del pasaje mencionado en la página 10, es decir, un estudio exegético. Este estudio tendrá que ser de cinco páginas de contenido (a doble espacio, mecanografiado, en computadora o escrito a mano en forma clara) y tratar con uno de los

Proyecto exegético

aspectos del Reino de Dios que fueron subrayados en este curso. Nuestro deseo y esperanza es que se convenza profundamente del poder de la Escritura, en lo que respecta a cambiar y afectar su vida en forma práctica, al igual que la vida de aquellos a quienes ministra. Su mentor le detallará el proyecto en la clase de introducción al curso.

Proyecto ministerial

Nuestra expectativa es que todos los estudiantes apliquen lo aprendido en sus vidas y en sus áreas ministeriales. Éstos tendrán la responsabilidad de desarrollar un proyecto ministerial que combine los principios aprendidos con una aplicación práctica en sus ministerios. Discutiremos los detalles de este proyecto en la clase de introducción.

Asignaturas de clase y tareas

Su mentor y maestro le dará varias tareas para hacer en clase o en su casa, o simplemente deberá cumplir con las tareas del Libro de Notas y Tareas del Estudiante. Si tiene alguna pregunta sobre los requisitos o las fechas de entrega, por favor pregunte a su mentor.

Lecturas

Es importante que cumpla con las lecturas asignadas del texto y pasajes de la Escritura, a fin de que esté preparado para discutir con facilidad el tema en clase. Por favor, entregue semanalmente el "Reporte de lectura" del Libro de Notas y Tareas del Estudiante. Tendrá la opción de recibir más puntaje por la lectura de materiales extras.

Examen Final para hacer en casa

Al final del curso, su mentor le dará el Examen Final el cual podrá hacer en casa. Allí encontrará preguntas que le harán reflexionar sobre lo aprendido en este curso, y cómo estas enseñanzas afectan su manera de pensar, o cómo practicar estas cosas en sus ministerios. Su mentor facilitará las fechas de entrega y le dará información extra cuando el Examen Final haya sido entregado.

Calificación

Las calificaciones finales se evaluarán de la siguiente manera, siendo guardadas cada una de ellas en los archivos de cada estudiante:

A - Trabajo sobresaliente	D - Trabajo común y corriente
B - Trabajo excelente	F - Trabajo insatisfactorio
C - Trabajo satisfactorio	I - Incompleto

Las calificaciones con las letras (A, B, C, D, F, I) se otorgarán al final, con los complementos o deducciones correspondientes; y el promedio alcanzado será tomado en cuenta para determinar su calificación final, la cual se irá acumulando. Las tareas atrasadas o no entregadas afectarán su nota final. Por lo tanto, sea solícito y comunique cualquier conflicto a su instructor.

Proyecto exegético

Como parte central del estudio del módulo *Practicando el Liderazgo Cristiano,* de los cursos Piedra Angular, se requiere que haga una exégesis (estudio inductivo) de un pasaje de la Biblia, basado en una de las siguientes porciones de la Palabra de Dios:

Propósito

❑ Mateo 20.20-28   ❑ Hechos 20.24-28

❑ Juan 13.1-17   ❑ Filipenses 2.5-11

❑ 1 Pedro 5.1-4

El propósito de este proyecto es brindarle la oportunidad de hacer un estudio detallado de un pasaje significativo acerca de la práctica del liderazgo cristiano. Usando uno de los textos de arriba como base, piense detenidamente en las maneras en que este texto aclara su tarea, privilegio y responsabilidad de conducir a otros según la estructura del propio liderazgo de Cristo. A medida que estudia uno de estos textos (u otro que con su mentor hayan acordado), nuestro anhelo es que su análisis del texto seleccionado le aclare aún más la forma y la textura de la práctica del liderazgo cristiano en la Iglesia. También deseamos que el Espíritu le dé una correcta perspectiva para que pueda relacionar directamente el significado de este pasaje con su propio caminar y discipulado, y con el rol de liderazgo que Dios le ha dado actualmente en su iglesia y ministerio.

Este es un proyecto de estudio bíblico, así que, a fin de hacer *exégesis,* debe comprometerse a entender el significado del pasaje en su propio contexto, es decir, el ambiente y situaciones donde fue escrito, o las razones que originaron que se escribiera originalmente. Una vez que entienda lo que significa, puede extraer principios que se apliquen a todos y luego relacionar o conectar esos principios a nuestra vida. El siguiente proceso de tres pasos puede guiar su estudio personal del pasaje bíblico:

Bosquejo y redacción de su composición

1. ¿Qué le estaba diciendo *Dios a la gente en la situación del texto original?*

2. ¿Qué principio(s) verdadero(s) *nos enseña el texto a toda la gente en todo lugar,* incluyendo a la gente de hoy día?

3. ¿Qué *me está pidiendo el Espíritu Santo que haga con este principio aquí mismo, hoy día,* en mi vida y ministerio?

Una vez que haya dado respuesta a estas preguntas en su estudio personal, estará preparado para escribir los hallazgos de su incursión reflectiva en su *proyecto exegético.*

El siguiente es un *ejemplo del bosquejo* para escribir su proyecto:

1. Haga una lista de lo que cree que es *el tema o idea central* del texto elegido.

2. *Resuma el significado* del pasaje completo (puede hacerlo en dos o tres párrafos), o si prefiere, escriba un comentario de cada versículo elegido.

3. *Bosqueje de uno a tres principios* que el texto provea para la práctica del liderazgo cristiano.

4. Comente cómo uno, algunos, o todos los principios, pueden relacionarse con *una o más* de las siguientes áreas:

   a. Su propia espiritualidad y caminar con Cristo

   b. Su vida y ministerio en la iglesia local

   c. Situaciones y desafíos en su comunidad y la sociedad en general

Como recursos, por favor siéntase en libertad de leer los textos del curso y/o comentarios, e integre esas ideas o principios a su proyecto. Por supuesto, asegúrese de dar crédito a quien merece crédito, si toma prestado o construye sobre las ideas de alguien más. Puede usar referencias en el mismo texto, notas al pie de página o notas en la última página de su proyecto. Será aceptada cualquier forma que escoja para citar sus referencias, siempre y cuando 1) use sólo una forma consistente en todo su proyecto, 2) indique dónde está usando las ideas de alguien más y le dé crédito por ellas. Para más información, vea *Documentando su Tarea: una regla para ayudarle a dar crédito a quien merece crédito* en el Apéndice.

Asegúrese que su proyecto exegético cumpla las siguientes normas al ser entregado:

- Que se escriba legiblemente, ya sea a mano, a máquina o en computadora

- Que sea el estudio de uno de los pasajes bíblicos mencionados anteriormente

- Que se entregue a tiempo y no después de la fecha y hora estipulada

- Que sea de 5 páginas de texto

- Que cumpla con el criterio del *ejemplo del bosquejo* dado antes, claramente formulado para la comprensión de quien lo lea

- Que muestre cómo el pasaje se relaciona a la vida y ministerio de hoy

No deje que estas instrucciones le intimiden. ¡Este es un proyecto de estudio bíblico! Todo lo que necesita demostrar en este proyecto es que *estudió* el pasaje, *resumió* su significado, *extrajo* algunos principios del mismo y lo relacionó o conectó a su propia vida y ministerio.

Calificación El proyecto exegético equivale a 45 puntos y representa el 15% de su calificación final; por lo tanto, asegúrese que su proyecto sea un excelente e informativo estudio de la Palabra.

Proyecto ministerial

La Palabra de Dios es viva y eficaz, y penetra y discierne los pensamientos y las intenciones del corazón (Heb. 4.12). Santiago, el apóstol, enfatiza la necesidad de ser hacedores de la Palabra de Dios, y no oidores solamente, engañándonos a nosotros mismos. Somos exhortados a aplicar la Palabra y obedecerla. Omitir esta disciplina, sugiere Santiago, es similar a una persona que mira su propia cara en un espejo; luego se va y se olvida de lo que es (su crecimiento y sus fallas), y lo que debe ser (la expectativa de ser como Cristo). En cada caso, el hacedor de la Palabra de Dios será bendecido por medio de lo que hace con la misma (Stg. 1.22-25).

Nuestro deseo sincero es que aplique lo aprendido de manera práctica, correlacionando su aprendizaje con experiencias reales y necesidades en su vida personal, conectándolo a su ministerio en y por medio de la iglesia. Por esta razón, una parte vital de completar este módulo es desarrollar un proyecto ministerial que le ayude a compartir con otros las ideas y principios que aprendió en este curso.

Hay muchas formas por medio de las cuales puede cumplir este requisito de su estudio. Puede escoger dirigir un estudio breve de sus ideas con un líder de su iglesia, escuela dominical, jóvenes o grupo de adultos o de estudio bíblico, o en una oportunidad ministerial. Lo que tiene que hacer es discutir algunas de las ideas que aprenda en clase con un grupo de hermanos (por supuesto, puede usar las ideas de su proyecto exegético).

Debe ser flexible en su proyecto; sea creativo y no ponga límites. Al principio del curso, comparta con su instructor acerca del contexto (circunstancias: grupo, edades, cuánto tiempo, día y hora) donde va a compartir sus ideas. Y antes de compartir con su grupo, haga un plan y evite apresurarse en seleccionar e iniciar su proyecto.

Después de efectuar su plan, escriba y entregue a su mentor un resumen de una página, o una evaluación del tiempo cuando compartió sus ideas con el grupo. El siguiente es un ejemplo del bosquejo de su resumen o evaluación:

1. Su nombre

2. El lugar y el nombre del grupo con quien compartió

3. Un resumen breve de la reunión, cómo se sintió y cómo respondieron sus alumnos

4. Lo que aprendió

El proyecto ministerial equivale a 30 puntos, es decir, el 10% de la calificación total; por lo tanto, procure compartir el resumen de sus descubrimientos con confianza y claridad.

LECCIÓN 1

Dirigiendo una Adoración Eficaz:
Adoración, Palabra y Sacramento

Objetivos de la lección

¡Bienvenido en el poderoso nombre del Señor Jesucristo! Después de su lectura, estudio, discusión y aplicación de los materiales en esta lección, usted podrá:

- Describir las distintas formas en las cuales el liderazgo representa al Señor, su persona, su pueblo y sus propósitos en la comunidad.

- Explicar por qué los líderes no representan sus propios propósitos o intereses en sus vidas y ministerios, sino los propósitos e intereses del Señor en todo lo que dicen o hacen.

- Resumir la importancia de la adoración para llevar gloria y honor a Dios en medio de su pueblo.

- Detallar la importancia de la celebración, de adorar a Dios en espíritu, verdad, orden y fe.

- Entender las razones más importantes de la Palabra y el Sacramento en el liderazgo cristiano.

- Aprender los principios más importantes, los cuales nutren al pueblo de Dios con una dieta completa y estable de la Palabra de Dios y les ayuda a experimentar una vida genuina en el cuerpo a través de la celebración del bautismo y la Cena del Señor.

Devocional

Aprenda a representar

Lea Lucas 10.1-16. Para poder liderar en una forma cristiana, nunca debe interpretar las cosas en una forma excesivamente personal. Guiar significa representar a otros. Esto parece obvio en la teoría, pero después de la primera mirada, se mira perfectamente más claro cómo funciona. Si quiere guiar a otros al igual que un sargento, debe estar dispuesto a seguir las órdenes del capitán. Si rechaza al capitán, no puede ordenar a los soldados, pues no se lo permite su posición como sargento. El capataz de piso de una fábrica debe obedecer al jefe de departamento, o perderá el derecho de guiar a aquellos que están bajo su mando. La clave para el liderazgo es la sumisión. Una persona que no está dispuesta a someterse a otros, no tiene el derecho de guiar a otros.

El liderazgo cristiano es representación. Al igual que nuestro Señor Jesucristo representó al Padre en cada una de sus palabras y hechos en la tierra, asi nosotros, al seguir su ejemplo, debemos representarlo a Él en todo lo que hacemos. El liderazgo cristiano consiste en reconocer la autoridad de Jesús, por esta razón, aquel que no se dispone a seguir a Jesús pierde todo derecho a servir y cuidar a los miembros del cuerpo de Cristo en su propio liderazgo. Lo interesante sobre esto es que, se aplica para aquellos que responden al lider. En otras palabras, si está representando en forma genuina al Señor Jesús, entonces el que rechace su palabra lo rechazará a Él, y de acuerdo al testimonio de Jesús, también rechazará al Padre quien envió a nuestro Señor. El liderazgo cristiano está basado, por tanto, en una sencilla pero profunda verdad: liderar es representar. Ningún líder cristiano puede funcionar en base a su propia autoridad, poder y posición. Lo que forma a un genuino líder cristiano no son sus dones, recursos, educación o sagacidad, sino el llamado de Dios. Si Dios ha llamado a un hombre o a una mujer para que le represente, entonces debe comenzar a actuar como embajador de Dios, representante de Dios, diplomático de Dios. Hablamos sus palabras, representamos sus intereses, compartimos sus sufrimientos, llevamos a cabo sus mandamientos. El líder cristiano que aprende esta lección no sólo llevará a cabo su ministerio con dignidad y excelencia, sino que también estará dispuesto a ser usado por el Señor para transformar la vida de otros. Para ser un líder de Dios, primeramente aprenda a representar.

Luego de recitar y/o cantar El Credo Niceno (localizado en el apéndice), haga la siguiente oración:

> *Tú enviaste a tu Hijo Jesucristo, quien no vino para ser servido sino para servir y dar su vida en rescate por muchos. Te alabamos porque Él llama a sus siervos fieles para que guíen a tu pueblo en amor; proclamen tu Palabra y celebren los sacramentos del nuevo pacto.*

~ Presbyterian Church (USA) and Cumberland Presbyterian Church. **Book of Common Worship**. Louisville: Westminister/John Knox Press, 1993. p. 137

El Credo Niceno y oración

No hay prueba en esta lección.

Prueba

No hay versículos para memorizar en esta lección.

Revisión de los versículos memorizados

No hay tarea en esta lección.

Entrega de tareas

CONTACTO

"No necesito su permiso".

1 Durante una acalorada discusión entre los líderes de una iglesia local de un barrio urbano, el pastor reclamó no tener la necesidad de recibir el permiso de sus diáconos para seguir agrandando el templo. Después de todo, ellos le habían llamado a pastorear la iglesia y el reglamento decía claramente que tenía autoridad para establecer y agrandar el ministerio en la misma, además, los recursos de tesorería eran suficientes para avanzar en la construcción. Aunque algunos de los diáconos querían discutir más este asunto, el pastor cerró el debate. Declaró que veía claramente que era la voluntad de Dios seguir adelante con la obra de construcción, diciendo finalmente, "realmente no necesito el permiso de ustedes en esto. Yo soy el pastor y Dios me ha llamado a guiar". ¿Qué piensa acerca de este estilo de liderazgo de este pastor?

"Esto no parece bien".

2 En un esfuerzo por tener un estilo más "contemporáneo" en el ministerio de jóvenes, el pastor juvenil comenzó con su nuevo servicio de "Hip hop aleluya". Se trata de un servicio de adoración completamente sincronizado con la cultura hip-hop, la cual domina las mentes y los corazones de los jóvenes en el vecindario. Aunque este servicio continúa creciendo y atrae a la iglesia a los jóvenes perdidos de la comunidad, algunos de los líderes están preocupados con ese tipo de reunión. Para ellos, no se diferencia en nada a un programa de MTV; los jóvenes visten igual, usan toda clase de instrumentos electrónicos y toca-discos, y en esencia, es algo mundano a lo que se le agrega un poco de Jesús. Uno de los diáconos dijo acerca de este ministerio, "miren lo que nuestro pastor está haciendo, estoy realmente preocupado. Esto no se ve bien". ¿Qué le diría al diácono si le preguntara su opinión acerca del servicio hip-hop? ¿Es importante lo que ellos hacen? ¿Por qué?

Solamente el Creer

3 (Basado en una historia verídica) Recientemente, en una iglesia en crecimiento, el pastor celebraba la Cena del Señor únicamente con los que eran creyentes, y que muchos no creyentes se sentían juzgados y aislados durante su servicio de comunión. Luego de consultar con los otros líderes, el pastor decidió abrir la comunión a quien sea que estuviera presente para el servicio. Esta decisión trajo consigo mucho entusiasmo. El pastor testificó: incluso algunos no creyentes han venido a la fe en Jesucristo como resultado de su participación en la Cena del Señor. Algunos están molestos a causa de esta apertura, creyendo que la comunión debe ser reservada únicamente a aquellos que se han

1

arrepentido y han puesto su confianza en Jesús para la salvación de sus almas. Si bien nadie duda que la comunión con los no creyentes sea un evento importante, genuinamente desaprueban la "nueva dirección" del pastor. ¿Cómo guiaría al pastor y a la iglesia a comprender el servicio de la Cena del Señor en el pueblo de Dios?

CONTENIDO

Dirigiendo una Adoración Eficaz: Adoración, Palabra y Sacramento

Segmento 1: Representando al pueblo de Dios para dar a Dios lo que es de Él

Rev. Dr. Don L. Davis

1

En lo que respecta a guiar efectivamente al pueblo de Dios en adoración, debemos estar seguros que primeramente representamos al Señor en nuestro liderazgo, e.d., hemos sido designados para actuar a su favor como representantes delante de su pueblo, para sus propósitos.

**Resumen
introductorio
al segmento 1**

Nuestro objetivo para este segmento, *Dirigiendo una Adoración Eficaz: Representando al pueblo de Dios para dar a Dios lo que es de Él*, es permitirle ver que:

- El entendimiento bíblico de la representación es fundamental en la práctica del liderazgo cristiano

- El líder cristiano está llamado a representar al Señor y sus propósitos para su pueblo y dentro de la comunidad.

- Ya que le pertenecemos al Señor, nuestro liderazgo no puede ser individualista, sino que debemos hablar y actuar por Dios procurando representar sus propósitos e intereses en cada una de nuestras palabras y acciones.

- El papel más importante donde se hace visible esta representación, es en cómo guiamos al pueblo de Dios hacia su presencia y para su gloria a través de Jesucristo.

- La práctica del liderazgo cristiano comienza con la adoración a Dios en Cristo, guiando al pueblo de Dios en la liturgia al adorar a Dios en espíritu, en verdad, en orden y en fe.

Video y bosquejo
segmento 1

2 Co. 5.18-20
*Y todo esto proviene
de Dios, quien nos
reconcilió consigo
mismo por Cristo, y
nos dio el ministerio
de la reconciliación;
[19] que Dios
estaba en Cristo
reconciliando consigo
al mundo, no
tomándoles en cuenta
a los hombres sus
pecados, y nos
encargó a nosotros la
palabra de la
reconciliación. [20]
Así que, somos
embajadores en
nombre de Cristo,
como si Dios rogase
por medio de
nosotros; os rogamos
en nombre de Cristo:
reconciliaos con Dios.*

I. El líder cristiano es llamado a ser representante de Dios (e.d., su embajador).

A. Definición: *el líder cristiano es alguien llamado por Dios para representar sus propósitos e intereses en medio de Su pueblo.*

1. Llamado por Dios: *el líder cristiano es una persona quien ha sentido un llamado particular del Señor.*

    a. El líder es elegido por Dios, Juan 15.16.

    b. Un líder puede ser nombrado *directamente por Dios o a través de un nombramiento,* sea como sea, representa a Dios en su liderazgo.

    (1) Llamado directo de Dios

      (a) Juan 20.21

      (b) 2 Ti. 1.11

      (c) Hechos 26.17-18

    (2) Nombrado a través de los representantes de Dios

      (a) 1 Ti. 5.22

      (b) Tito 1.5

      (c) 2 Ti. 2.2

      (d) 1 Ti. 1.18

1

    c.   Este llamado es *irrevocable*. (Dios no cancelará su llamamiento, éste puede ser cumplido o ignorado, pero nunca será quitado)

       (1) 1 Ti. 1.11-12

       (2) Ro. 1.5

       (3) Ro. 11.29

    d.   Este llamado está acompañado por *los dones y habilidades de Dios.*

       (1) 2 Co. 3.6

       (2) Ef. 3.7

       (3) Col. 1.25

2.   Para representar sus propósitos e intereses: *este llamado se enfoca en las intenciones y propósitos de Dios y no en las del líder.*

    a.   El líder es un embajador. Él habla y actúa en nombre de otro.

       (1) Ef. 6.20

       (2) 1 Co. 9.16-17

    b   El líder no *tiene autoridad para ir más allá del mandato* del Señor para edificar su pueblo.

       (1) 2 Co. 10.8

       (2) 2 Co. 13.10

    c.   La aprobación y humillación provienen únicamente del Señor: *Dios coloca a alguien y quita a otro.*

       (1) Sal. 75.6-7

       (2) Juan 15.16

3. En medio del pueblo de Dios: *el líder ejercita la autoridad y provee servicio al pueblo de Dios en la comunidad cristiana.*

    a. No existe un liderazgo para uno mismo, Ro. 15.15-16.

    b. Jesucristo es el ejemplo perfecto de un verdadero líder, Fil. 2.5-11.

    c. Todos los esfuerzos del líder cristiano son para edificar al pueblo de Dios, permitiendo que cada uno sea lo que Dios desea que sea y que haga lo que Dios quiere que haga.

B. Tres aspectos que describen a alguien llamado por Dios para guiar a Su pueblo

    1. El líder *es en primer lugar un representante de Jesucristo.*

        a. Jesucristo es el Señor y la Cabeza sobre todas las cosas en la Iglesia, Ef. 1.20-23.

        b. Él ha seleccionado hombres y mujeres para representar sus intereses y su voluntad en la Iglesia, Juan 15.16.

    2. El líder también es *un representante de la comunidad cristiana.*

        a. Éstos sirven como pastores bajo la autoridad de Dios.

            (1) 1 Co. 12.28

            (2) 1 Co. 12.7

            (3) 1 Pe. 5.1-4

b. Los líderes no poseen autoridad para destruir o derribar, únicamente para edificar a los santos, 2 Co. 13.10.

c. Como líderes debemos procurar que el pueblo de Dios cumpla con el deseo de Dios y puedan representarle con honor en el mundo y como testigos de Él, Ef. 2.10.

3. Finalmente el líder es un *representante de la fe cristiana.*

a. Está para contender por la fe, Judas 1.3.

b. Está para equipar a otros a compartir su fe, Ef. 4.11-12.

II. Dándole a Dios lo que le pertenece: Dirigiendo al pueblo de Dios a la adoración

A. Definición: el líder cristiano es alguien que guía al pueblo de Dios a Su presencia, dándole lo que le pertenece, a través de una adoración aceptable.

1. Guiando al pueblo de Dios a Su presencia: *el líder, como un adorador de Dios, está encomendado a conducir al pueblo de Dios a su misma presencia.*

a. Ro. 15.15-19

b. El propósito de Pablo es ministrar entre los gentiles para que ellos puedan dar gloria a Dios a través de su ministerio, Ro. 1.5.

Robert Webber, en su libro "Adorar es un verbo", destaca ocho principios indispensables para participar en la adoración. Ellos son: 1) la adoración celebra a Cristo 2) la adoración cuenta y representa el evento de Cristo 3) en la adoración, Dios habla y actúa 4) la adoración es un acto de comunicación 5) en la adoración le respondemos a Dios y a los hermanos 6) le regresa la adoración al pueblo 7) toda la creación se une en adoración 8) la adoración es un estilo de vida

2. Dando a Dios lo que le pertenece: *la meta en toda adoración, en la forma que sea, es ofrecer a Dios la alabanza y la gloria que merece su nombre.*

    a. Somos llamados a predicar las inescrutables riquezas de Cristo a aquellos que no conocen a Dios, Ef. 3.7-8.

    b. Esta adoración está directamente vinculada con la obediencia, no meramente con nuestros actos externos de devoción religiosa, Hechos 26.20.

3. A través de una adoración aceptable a Dios: *no estamos estimulando un espectáculo religioso externo, sino que guiamos al pueblo de Dios de tal forma que todos aquellos que responden a nuestro ministerio le den a Dios la clase de servicio y obediencia que a Él le complace y honra.* Para así aprender a obedecer por la fe, al igual que en el ministerio de Pablo, Ro. 16.26.

B. Implicaciones de este supremo llamamiento

1. Nadie puede guiar a otros a menos que esté al frente.

2. Sólo Dios puede darnos el poder para cumplir con este supremo llamamiento.

3. Tenemos la libertad de experimentar y hallar diversas maneras de traer más y más honor al nombre de Dios a través de Jesucristo.

III. Cuatro dimensiones de dirigir una adoración efectiva

A. Adorar en el Espíritu: guiado por el Espíritu Santo, Juan 4.22-24

1. Tenemos acceso a Dios a través de la fe en Jesucristo por medio del Espíritu.

    a. Somos salvos por el propósito del Padre, 2 Ti. 1.8-9.

    b. Somos hechos perfectos a través de la sangre de Cristo, Heb. 10.12-14.

    c. Las bendiciones que nos son dadas en la salvación se cumplen en nuestras vidas a través del Espíritu Santo, Juan 16.13-14.

2. La adoración no es genuina sino está acompañada de una fe y estilo de vida significativos para Dios.

    a. Las simples señales externas de devoción no son aceptables ante Dios, Is. 1.13-14.

    b. La adoración debe ir de la mano de la justicia y la rectitud, para que la misma sea aceptable a Dios, Is. 1.16-17.

3. Siendo salvos por gracia sólo a través de la fe, somos libres en Cristo para ofrecer adoración a Dios, Gál. 5.1.

    a. A través de nuestro propio estilo de música, himnos, adoración y celebración

    b. A través de nuestra propia forma de aprender y presentar

    c. A través de nuestra propia manera de predicar, enseñar y compartir mutuamente

B. Adorar en verdad: arraigados a la verdadera revelación de Dios, Fil. 3.3

1. Cristo es el fin de la ley para justicia: nosotros no adoramos a Dios únicamente a través de la celebración o la tradición, sino por la llenura y guía del Espíritu Santo, Ro. 10.3-4.

2. Toda adoración aceptable, cualquiera sea el estilo, debe ser hecha únicamente en el nombre de la persona de Jesucristo; el único camino a Dios, Juan 14.6.

3. No pongamos la confianza "en la carne", es decir, nuestra habilidad de agradar o acercarnos a Dios dejando de lado la persona de Jesucristo, 1 Pe. 1.23-25.

C. Adorar en orden: acercándose a Dios en un orden litúrgico

1. Dios es un Dios de orden y paz: el Espíritu Santo ha dado dones a los miembros de la iglesia, aunque los mismos deben ejercitarse en forma sabia para el beneficio de todos.

    a. 1 Co. 14.12

    b. 1 Co. 14.26

    c. 1 Co. 14.33

2. Así como Dios nombró tiempos que debían ser recordados y celebrados en el calendario anual de Israel, con el propósito de no olvidar esos acontecimientos en la historia, podemos usar la liturgia y el calendario de la Iglesia para recordar las grandes historias de nuestra redención en Cristo.

a. Pablo menciona a Cristo como nuestra Pascua, 1 Co. 5.7.

b. Pablo enseñó que los importantes relatos sobre la liberación de Israel, son señales dadas a nosotros, 1 Co. 10.1 y sig.

c. La Iglesia primitiva desarrolló una liturgia (calendario que ordena el servicio) para ayudar a los miembros de la misma a recordar los momentos importantes en la historia de nuestra redención.

3. Como líderes del pueblo de Dios debemos tener un orden en la adoración, no para promover una tradición muerta, sino para entrenar a otros en la dirección de la misma.

a. Debemos tener cuidado de no ser tan fieles a la tradición, que ignoremos las verdades de la Palabra de Dios, Mt. 15.3.

b. Mc. 7.13

c. Col. 2.8

4. Empleamos la liturgia ya que es un método efectivo para ayudar a la familia de Dios a recordar nuestra historia de salvación (recorriendo los eventos y las historias claves, año tras año, con el propósito de estimular e instruir).

D. Adorar en fe: evitando una tradición sin sentido al celebrar la presencia y obra de Dios en nuestras vidas.

La adoración en la Biblia es la respuesta de los hombres a Su revelación. Es honrar y glorificar a Dios, ofreciéndole con gratitud todos los dones y el conocimiento de su grandeza y gracia, lo cual Él mismo nos dio. Esto implica alabarle por lo que Él es, agradeciéndole por lo que ha hecho, deseándole que obtenga más gloria por su misericordia, juicio, poder, y confiándole a Él nuestras preocupaciones y el bienestar futuro de otras personas.
~ J. I. Packer. *Concise Theology: A Guide to Historic Christian Beliefs.* (electronic version). Wheaton, IL: Tyndale House, 1995.

1. Sin fe es imposible agradar a Dios; más allá de la forma en que guiemos al pueblo de Dios en la adoración, lo importante es que estemos atentos a que el poder de la tradición no se eche a perder, ni se haga sin sentido.

    a. Heb. 11.6

    b. Col. 2.23

2. Nadie puede acercarse a Dios sino a través de la persona y obra de nuestro Señor Jesucristo.

    a. 1 Juan 2.23

    b. Hechos 4.12

3. Es bueno usar y emplear distintos métodos de adoración, pero debemos estar atentos a que los mismos no sustituyan nuestra necesidad de acercarnos y relacionarnos con Dios, únicamente a través de su Hijo.

    a. 2 Juan 1.9

    b. 1 Pe. 3.18

    c. Tito 2.14

Conclusión

» El principal concepto del liderazgo cristiano es la representación. Como representantes de Jesús, de su Iglesia y de la fe cristiana, somos llamados por Dios para guiar a su pueblo y darle a Él toda la gloria y honor.

» Quizás la manera en que mejor representamos a Dios es guiando a su pueblo en adoración.

» La adoración no consiste únicamente en una forma, una tradición, o la emoción generada en el culto semanal; la verdadera adoración implica obediencia al Espíritu y una armonía con la verdad de las Escrituras, a través de una liturgia ordenada, cimentada en una fe viva que celebra a Dios y su obra en el mundo.

» Guiamos a las personas hacia la presencia de Dios, dependiendo del Señor Jesucristo, el único capaz de llevarnos delante del Padre.

Por favor, haga tiempo para contestar éstas y otras preguntas formuladas en el video. Este segmento ha resumido uno de los conceptos más importantes en la práctica del liderazgo cristiano, el cual es la representación de Dios en Cristo delante de su pueblo, con el fin de cumplir sus propósitos y ayudar en el avance de su Reino, todo para su gloria. Sea claro y conciso en sus respuestas y siempre que sea posible, ¡apóyelas con la Escritura!

1. ¿Qué significa que "un líder cristiano es alguien llamado por Dios para representar Sus propósitos e intereses en medio de Su pueblo"?

2. Como embajadores de Dios, ¿cómo "permanecemos en contacto" con nuestra nación celestial, cuando hablamos y actuamos a Su favor?

3. ¿Cuáles son las maneras en las que Dios puede llamar a un líder cristiano a representar Sus intereses en el cuerpo de Cristo?

4. ¿Qué similitudes existen entre el papel de un embajador asignado para una nación y el líder cristiano en relación a Cristo?

5. ¿En qué tres dimensiones es llamado el líder cristiano a representar a Dios? ¿Tiene alguna autoridad dada por el Señor para derribar o destruir a otros? Explique.

Seguimiento 1

Preguntas y reflexión acerca del contenido del video

6. ¿Por qué cree que es importante que el líder cristiano entienda que su papel en primer lugar es el de alguien que conduce al pueblo de Dios a la presencia de Dios?

7. ¿Qué papel tiene el Espíritu Santo en guiar a otros a la presencia de Dios?

8. ¿Por qué es significante que toda la adoración dada a Dios en Cristo esté cimentada en la verdad de la Escritura? ¿Qué papel tiene Cristo mismo en la adoración al Padre que es aceptable a Él?

9. ¿Por qué es importante guiar a otros a una adoración ordenada? ¿Puede la mera forma de adorar garantizar una adoración aceptable al Señor? ¿Por qué sí, o por qué no?

10. ¿De qué maneras podemos evitar una tradición sin sentido cuando guiamos a otros a la celebración y la adoración a Dios? ¿Qué papel tiene la fe cuando guiamos a otros a relacionarse con Dios?

Dirigiendo una Adoración Eficaz: Adoración, Palabra y Sacramento

Segmento 2: Ministrando la Palabra y las ordenanzas en el pueblo de Dios

Rev. Dr. Don L. Davis

Resumen introductorio al segmento 2

Como líderes, estamos llamados a representar los propósitos e intereses de Dios en medio de la Iglesia, por este motivo, debemos trabajar incansablemente para asegurarnos que cada miembro de la familia esté alimentado y nutrido de una dieta completa y estable de la Palabra de Dios y de una experiencia de vida genuina en el cuerpo, celebrando con gozo el bautismo y la Cena del Señor.

Nuestro objetivo para este segmento, *Dirigiendo una Adoración Eficaz: Ministrando la Palabra y las ordenanzas en el pueblo de Dios*, es lograr que vea que:

• El líder cristiano hace que el pueblo de Dios experimente la gracia y dirección de Dios a través de una ministración eficaz de Su Palabra y la práctica de los sacramentos de la Iglesia.

• Practicar la Palabra de Dios y los sacramentos es fundamental para que el pueblo de Dios alcance su madurez y se desarrolle en Cristo.

- Como líderes, estamos llamados a representar los propósitos e intereses de Dios en la Iglesia, por este motivo, debemos trabajar incansablemente para asegurarnos que cada miembro de la familia esté alimentado y nutrido con una dieta completa y estable de la Palabra de Dios y de una experiencia de vida genuina en el cuerpo, celebrando con gozo el bautismo y la Cena del Señor.

- El líder usa sus dones para nutrir a los creyentes con las Escrituras, incorporando nuevos creyentes a la Iglesia a través del bautismo y celebrando la muerte y próxima venida del Señor con la Santa Cena.

I. Definiendo el papel del líder en la Palabra y en la ordenanza/el sacramento

A. Definición: *el líder cristiano guía al pueblo de Dios a Su presencia a través de la Palabra y el sacramento/la ordenanza.*

   1. Guía al pueblo de Dios: *el líder guía al pueblo de Dios hacia Su presencia.*

      a. Pablo concibió todo su ministerio como una oportunidad para que los gentiles glorificaran a Dios en adoración, alabanza y obediencia.

         (1) Ro. 15.8-13

         (2) Ro. 15.18

      b. Dios llamó a Pablo para que representase Sus propósitos e intereses para la salvación de los gentiles, a fin de guiarles a un estilo de vida de discipulado, adoración, alabanza y acción de gracias a Dios.

         (1) 2 Co. 5.20

         (2) Gál. 2.7-8

         (3) Ef. 3.1

         (4) 1 Ti. 2.7

Video y bosquejo segmento 2

Agustín definió los sacramentos como una forma visible de una gracia invisible.
~ D. N. Freedman. *The Anchor Bible Diccionario*. Vol. 6. Nueva York: Doubleday, 1996. p. 983.

c. Pablo por tanto guiaba y exhortaba a los creyentes gentiles a adorar a Dios a través de Jesucristo.

(1) Ef. 5.18-21

(2) Col. 3.17

(3) 1 Ts. 5.18

2. A través de la Palabra y la ordenanza/el Sacramento: *el ministerio de la Palabra de Dios y la obediencia a las ordenanzas nos permiten recibir la gracia del Señor para glorificarle en todo lo que decimos y hacemos, de manera ordenada.*

a. Mt. 28.18-20

b. 2 Ti. 3.16-17

B. Implicaciones de este supremo llamamiento

1. Como líderes *representamos a Dios delante de su pueblo*; somos llamados a ayudar al mismo a conocer y hacer la santa voluntad de Dios, 2 Co. 5.20.

2. *La Palabra de Dios* permite que su pueblo reciba de Él, instrucciones sobre la salvación, dirección sobre su voluntad y la fortaleza para obedecer lo que Él demanda, Juan 8.31-32.

3. Como familia de Dios, tenemos que vivir como su pueblo. Somos llamados a recibir a los nuevos miembros a través del bautismo y a crecer en compañerismo a través de la celebración de la Cena del Señor, 1 Juan 3.2.

II. El ministerio de la Palabra de Dios

A. Lo que no es

1. Afirmar que su punto de vista es más importante que el de los otros miembros del pueblo de Dios

2. Hacer que sus ideas sean siempre el estándar del discipulado cristiano

3. Asumir que todo lo que el líder sugiere es Palabra de Dios, Hechos 17.10-11

B. Lo que sí es: *asegurarme que el pueblo de Dios a quien represento y sirvo sea nutrido con Su Palabra.*

¡Es el deber y privilegio del liderazgo asegurarse que el pueblo de Dios se nutra, aclare y equipe con un conocimiento profundo y satisfactorio de la Palabra de Dios!

1. Capacitar al pueblo cristiano para que *escuche la voz de Dios*.

   a. 1 Co. 1.17-18

   b. 2 Co. 4.2

2. Capacitar al pueblo de Dios para que *recuerde la Palabra de Dios*.

   a. 2 Ti. 2.2 (Salmo 119)

1

Hechos 6.3-4
Buscad, pues, hermanos, de entre vosotros a siete varones de buen testimonio, llenos del Espíritu Santo y de sabiduría, a quienes encarguemos de este trabajo. [4] Y nosotros persistiremos en la oración y en el ministerio de la palabra.

Cuando analizo la adoración en la Escritura, trato de recordar cómo Dios inició su relación conmigo, y entiendo que Él me buscó y me llevó hacia Él.
~ Robert Webber. *Worship is a Verb.* Peabody, MA: Hendrickson Publishers, 1995. p. 73.

b.   Juan 15.7

3.   Capacitar al pueblo de Dios para que *comprenda la Palabra de Dios*, Col. 1.24-27.

4.   Capacitar al pueblo de Dios para que *confiese la Palabra de Dios*.

a.   Recordar el Shema: Dt. 6.4-9

b.   Ro. 10.8-10

c.   2 Co. 4.13-14

d.   1 Ti. 3.16

5.   Capacitar al pueblo de Dios para que *obedezca la Palabra de Dios*.

a.   Mt. 7.24-27

b.   Santiago 1.22-25 (comparar con Mateo 28.18-20)

6.   Capacitar al pueblo de Dios para que *comparta la Palabra de Dios con otros*, 1 Pe. 3.15-16.

C.   Cómo asegurar un ministerio vibrante de la Palabra de Dios en el contexto de su iglesia

1. Haga de la Palabra de Dios *el libro de texto más importante* de la fe y discipulado cristiano, 2 Ti. 3.16-17.

2. No se trate simplemente de dar charlas sobre la Biblia; sino de incentivar a que cada uno de ellos *estudie las Escrituras* por ellos mismos, Juan 8.31-32.

3. Anime a los miembros a *revisar por sí mismos, a través de las Escrituras, las enseñanzas que escuchan,* Hechos 17.10-11.

4. Enseñe de manera informal, en los hogares de los creyentes a los cuales guía, y presente oportunidades para que la gente *comparta entre sí su comprensión y preguntas* sobre la Palabra de Dios, Hechos 20.18-21.

5. Enseñe *toda la Biblia,* no siempre su porción favorita, Hechos 20.26-27.

6. Como líder, debe *estar siempre listo para compartir la Palabra de Dios, sin importar la situación, poniéndose usted como ejemplo de cada temática vista en las Escrituras,* con el propósito de mostrar a través de su propia vida, el poder de Dios y su significado.

   a. 2 Ti. 4.1-2

   b. 1 Ti. 4.15-16

III. El ministerio de las ordenanzas/los sacramentos

Mt. 28.19-20 - Por tanto, id y haced discípulos a todas las naciones, bautizándolos en el nombre del Padre, y del Hijo, y del Espíritu Santo; [20] enseñándoles que guarden todas las cosas que os he mandado; y he aquí yo estoy con vosotros todos los días, hasta el fin del mundo. Amén.

A. Lo que no es el ministerio de las ordenanzas/los sacramentos

1. Mantener las ordenanzas/los sacramentos como una forma alterna de salvación, 1 Co. 1.14-17

2. Decir que las ordenanzas/los sacramentos deben ser practicados y celebrados en una única forma

3. Asumir que únicamente algunos individuos especiales del pueblo de Dios pueden participar u oficiar estos servicios, Mt. 18.20

B. Lo que es el ministerio de las ordenanzas/los sacramentos

1. Una *expresión de nuestra obediencia a Jesús* como Señor (Él nos ha ordenado practicar ambos, el bautismo y la Cena del Señor), Mt. 28.19-20, 1 Co. 11.23-26

2. Una *forma de adoración a Dios* por la obra de Jesucristo en la cruz, Ro. 6.3-4

3. Una *forma de mostrar en estas ordenanzas/estos sacramentos, juntos o por separado, nuestra lealtad incondicional a Jesucristo,* en su muerte, resurrección y regreso, Juan 6.51-56

Los sacramentos, referidos en algunos círculos cristianos como ordenanzas (es decir, aquellas prácticas ordenadas para la iglesia por el Señor), son vistos como una expresión de la gracia del Señor. Ésta expresión, aunque no se menciona en la Escritura, es ampliamente usada para hablar de aquellas prácticas y ritos ordenados por Dios, donde comunica a los creyentes su bendición y gracia para con su pueblo.

1

C. Principios que debemos recordar cuando ministramos la ordenanzas/el sacramento del bautismo

    1. Concebir la ordenanza/el sacramento del bautismo *como un lavamiento o baño.*

        a. Hch. 22.12-16

        b. Heb. 10.22

        c. 1 Pe. 3.21

        d. 1 Co. 6.11

    2. Enfatizar la ordenanza/el sacramento del bautismo como *una expresión de fe y lealtad a Jesucristo.*

        a. Gál. 3.27

        b. Hch. 8.12-13

        c. Hch. 10.46-48

    3. Emplear la ordenanza/el sacramento del bautismo como una *señal de adhesión* (afiliación al pueblo de Dios).

        a. Hch. 10.46-48

b. Hch. 18.8

c. 1 Co. 12.13

D. Principios que debemos recordar cuando ministramos la ordenanza/el sacramento de la Cena del Señor

1. Concebir la Cena del Señor como una *comida familiar*, Hechos 2.46-47.

2. Enseñar que la Cena del Señor es un tiempo de agradecimiento y recordatorio de toda la comunidad cristiana, 1 Co. 11.23-25.

3. Experimentar la Cena del Señor, *expresando nuestra esperanza de ver pronto al Mesías*.

a. 1 Co. 11.26

b. Mt. 26.26-29

E. Cómo asegurar la importancia del bautismo y la Cena del Señor en su iglesia

1. Enseñe claramente el significado de estas prácticas (provea instrucción bíblica y una buena justificación teológica para su cumplimiento).

2. Respete la tradición establecida de las ordenanzas/los sacramentos y comprenda la libertad asociada a las formas de celebración.

1

3. Reflexione sobre la historia y el significado del bautismo y la eucaristía en la historia de la Iglesia.

4. Celebre estos importantes eventos centrales de manera regular cuando se reúne la familia de Dios.

5. Permita participar de estos eventos de celebración a los miembros del pueblo de Dios, pero en forma reverente y sobria, 1 Co. 11.27-29.

6. Haga que la celebración, la reverencia y el gozo estén en el centro mismo de estos eventos.

Conclusión

» El líder cristiano, al representar al Señor, nutre al cuerpo de Cristo con la Palabra de Dios y a través de las ordenanzas/los sacramentos del bautismo y la Cena del Señor.

» Como representantes de Dios, debemos asegurarnos que los miembros del cuerpo de Cristo estén bien alimentados y nutridos con una dieta completa y estable de la Palabra de Dios, además de celebrar con completo entendimiento el bautismo y la Cena del Señor.

Las siguientes preguntas fueron diseñadas para que revise nuevamente el material del segundo segmento del video. Como representante del Señor, el líder cristiano debe alimentar a la Iglesia con la Palabra de Dios, y guiar al cuerpo en la celebración de las ordenanzas/los sacramentos del bautismo y la Cena del Señor. ¡Sea claro y conciso en sus respuestas y siempre que sea posible, apóyelas con la Escritura!

1. ¿Por qué la presencia de Dios es un concepto tan importante para el líder cristiano? ¿Cómo se conecta el llamado de Dios hacia el líder cristiano con la

Seguimiento 2

Preguntas y reflexión acerca del contenido del video

responsabilidad de guiar al pueblo en adoración, alabanza y acción de gracias hacia Su persona?

2. ¿De qué maneras Dios provee gracia a los creyentes en la Iglesia a través de una ministración eficaz de Su Palabra y las ordenanzas/los sacramentos? ¿Qué implica esto para el pueblo de Dios y el líder cristiano?

3. Explique el significado de la siguiente declaración: "Es el deber y privilegio del liderazgo, asegurar que el pueblo de Dios se nutra, aclará, y equipe de un conocimiento profundo y satisfactorio de la Palabra de Dios".

4. Enliste cuatro formas en las cuales como líder cristiano puede ayudar a aquellos que están bajo su enseñanza a crecer en el conocimiento de la Palabra, nutriéndose en ella.

5. Describa las razones por las cuales la práctica de las ordenanzas/los sacramentos es tan importante en el crecimiento y madurez del cuerpo de Cristo.

6. ¿Qué principios debemos tener en mente cuando buscamos comprender el papel del bautismo en la Iglesia? ¿Qué cosas debemos saber cuando ministramos la Cena del Señor?

7. Enliste cuatro formas en las cuales, como líder cristiano, puede ayudar a aquellos que están bajo su enseñanza a crecer mientras celebran juntos la Cena del Señor. ¿Cuál de éstas considera más importante en su ministerio?

CONEXIÓN

Resumen de conceptos importantes

Esta lección se enfoca en el papel del líder cristiano como representante del Señor, alguien llamado a hablar y actuar a favor de los propósitos e intereses del Señor. Demostramos, en primer lugar, esta representación cuando dirigimos al pueblo hacia la presencia de Dios a través de la adoración, la nutrición recibida por la Palabra de Dios en las vidas de los creyentes y la celebración de las ordenanzas/los sacramentos en la Iglesia.

⚷ La representación es un concepto bíblico fundamental en la práctica del liderazgo cristiano: el líder no se representa a sí mismo sino a la autoridad y propósito del Señor.

1

⌐ El líder cristiano ha detectado un llamado particular del Señor hacia su persona, para representar sus propósitos en Su pueblo, dentro de la comunidad.

⌐ Como representantes del Señor, nuestro liderazgo nunca puede ser individualista, sino que debemos hablar y actuar para Dios, procurando representar sus propósitos e intereses en todo lo que decimos y hacemos.

⌐ El papel más importante de esta representación está en cómo guiamos al pueblo de Dios hacia Su presencia, con el propósito de darle gloria a Él a través de Jesucristo.

⌐ Los cuatro aspectos que debe tener en cuenta un líder cristiano para guiar al pueblo de Dios en una adoración eficaz, son que se adore en Espíritu, en verdad, con orden y en paz, todo a través de la fe en Jesucristo.

⌐ Como líderes llamados a representar los propósitos e intereses de Dios en medio de la Iglesia, debemos trabajar incansablemente para asegurar que cada miembro de la familia de Dios está alimentado y nutrido con una dieta completa y estable de Su Palabra.

⌐ El liderazgo cristiano ayuda a los miembros del cuerpo a experimentar una vida genuina a través de la alegre celebración del bautismo y la Cena del Señor.

Es tiempo de discutir con sus compañeros sus preguntas acerca del material estudiado en lo concerniente a ser representantes del Señor y nuestra misión de guiar al cuerpo de Dios hacia Su presencia y propósito de Dios, a través de la adoración, la Palabra y las ordenanzas/los sacramentos. ¿Qué preguntas en particular tiene del material que acaba de estudiar? Quizás algunas de las preguntas formuladas a continuación le ayuden a formar las suyas de manera más específica.

Aplicación del estudiante

* ¿Cómo sabemos que hemos sido llamados por Dios para representarle? ¿Qué papel tienen otros líderes cristianos y la congregación en lo referente a confirmar la autenticidad de mi llamado a ministrar, representando a Dios en la iglesia?

* ¿Puede guiar a otros a la presencia de Dios si usted no está en ella? Explique su respuesta.

* ¿Por qué es imposible ser líder del Señor y estar aislado de la vida cristiana, la adoración y el cuerpo de Cristo?

* ¿Qué tipo de actitudes y hábitos deben ser cultivados para liderar una adoración eficaz? ¿Cuál de éstos expresa más y cuál menos?

* ¿Por qué el mandamiento de ser fiel a la Palabra de Dios es de gran importancia para representar a Dios en medio de la Iglesia?

* ¿Qué sucede con aquellas denominaciones que reconocen otras prácticas, además del bautismo y la Cena del Señor, como ordenanzas/sacramentos? ¿Qué papel tiene la denominación en descubrir si estas prácticas son ordenables/sacramentales?

* De todos los aspectos implícitos en dirigir una adoración eficaz, ¿cuáles cree que son los que el líder cristiano emergente debe dominar primeramente?

* ¿Cómo nos aseguramos que los miembros del cuerpo crezcan en la Palabra de Dios y en las ordenanzas/los sacramentos mientras atienden fielmente a la adoración? ¿Cómo podemos infundir un clima de celebración y consuelo en nuestra enseñanza, guiando al cuerpo de Cristo hacia una adoración que reavive su fe?

Casos de estudio

"El Señor me dijo ven".

1 Una joven con una personalidad seria y aparentes dones espirituales ha estado asistiendo a su iglesia por algunas semanas, pero a medida que pasa el tiempo se comienza a preocupar por el entendimiento de la hermana en lo concerniente a la guía de Dios. Ella se ha afirmado más y más como profetiza del Señor en la iglesia, estableciendo autoritativamente en otros miembros de la congregación distintas conductas o doctrinas, diciéndoles: "esto es lo que creo que Dios te dice acerca de este asunto". Como pastor ha escuchado comentarios preocupantes por parte de los miembros acerca de algunas de las cosas que esta joven dice, pero cree que el Señor está con ella. La frase que esta joven repite sobre sí misma en la iglesia es "El Señor me dijo ven". ¿Cómo guiaría a esta joven hacia la madurez en el cuerpo, e.d., ayudarle a comprender los principios del liderazgo como representación?

"Están haciendo todo mal".

2 Con la inclusión de nuevas formas de adoración (cantos, Escritura, lectura receptiva y oración en los ministerios), algunos de los miembros con más tiempo en la iglesia están preocupados, ya que dicen no querer romper con sus formas tradicionales de adoración.

Existe una creciente división entre aquellos que prefieren los estilos más contemporáneos de adoración y quienes prefieren las formas tradicionales y liturgias. Una estimada madre en la iglesia, frustrada por la nuevas características del servicio, le dijo al pastor recientemente: "Este nuevo tipo de adoración no está bien. Están haciendo todo mal. Necesitamos regresar a la forma original de adorar". ¿Cómo aconsejaría al pastor a que guíe a la iglesia en estas discusiones acerca del nuevo/antiguo estilo del servicio de adoración?

"No estoy siendo alimentado".

Al usar el leccionario (e.d., todas las listas de textos ordenadas anualmente, compartidas por muchas denominaciones y asambleas para que se sigan en las reuniones), observa que muchos en el cuerpo están expresando insatisfacción con respecto a las temáticas y la presentación de los sermones. Muchos han comentado que están creciendo en forma notable a través de sus enseñanzas, pero un pequeño grupo se hace oír, expresando una profunda preocupación por las mismas. Un estimado miembro le dijo en forma franca la semana pasada, "estoy espiritualmente hambriento. Sus sermones y enseñanzas no me están ayudando a crecer. ¡No estoy siendo alimentado!". Si se enfrentara a una situación similar, ¿cómo respondería?.

"No creo que tenga que hacer eso".

Mientras enseñábamos la importancia de nuestra vida devocional en el cuerpo y la práctica de las ordenanzas/los sacramentos, un miembro de la iglesia no estuvo de acuerdo. Ella cree que para madurar en Cristo alcanza únicamente con creer en Él. La salvación es a través de Jesucristo y el crecimiento es en Su persona. Ella declaraba en forma rotunda no estar de acuerdo con la idea de asistir semanalmente a las reuniones o participar de las ordenanzas/los sacramentos para alcanzar una mayor madurez. La hermana decía tener su fe, su Biblia y su amor por Cristo, estando convencida que no necesitaba nada más. ¿Cómo le explicaría a esta hermana que no es posible crecer si no se comparte la adoración junto con el cuerpo, la nutrición de la Palabra en la comunidad y la participación en las ordenanzas/los sacramentos en la iglesia? ¿Qué haría si ella permaneciera firme y sin cambiar de parecer?

El concepto bíblico de representación es fundamental para la práctica del liderazgo cristiano: el líder no se representa a sí mismo, sino a la autoridad y propósito del Señor. Al

Reafirmación de la tesis de la lección

igual que sucede con todos los hijos de Dios, nuestro liderazgo no puede ser individualista, sino que debemos hablar y actuar para Dios con el objetivo de representar sus propósitos e intereses en todo lo que decimos y hacemos. Las cuatro dimensiones de una adoración eficaz que un líder cristiano debe tener para guiar al pueblo de Dios a adorarle en Espíritu son: adorarle en verdad, orden, paz y fe, todo a través de Jesucristo. Conforme guiamos al pueblo de Dios a su presencia, debemos trabajar incansablemente, con el propósito de asegurarnos que cada miembro de la familia esté alimentado y nutrido con una dieta completa y estable de la Palabra de Dios.

Recursos y bibliografía

Si está interesado en profundizar en algunas de las ideas vistas en: *Dirigiendo una Adoración Eficaz: Adoración, Palabra y Sacramento,* le recomendamos los siguientes libros (algunos de estos t tulos pueden estar disponibles en español, o revise nuestro portal en la red cibernética para recursos adicionales en español):

Boschman, LaMar. *Future Worship*. Ventura, CA: Gospel Light Publications, 1999.

Webber, Robert E. *Worship is a Verb*. Peabody, MA: Hendrickson Publishers, 1992.

------. *Blended Worship*. Peabody, MA: Hendrickson Publishers, 1998.

Wiersbe, Warren W. *Real Worship*. Grand Rapids: Baker Books, 2000.

Conexiones ministeriales

Es tiempo de conectar estos conceptos teológicos a la práctica ministerial, para lo cual pensará y orará durante la próxima semana. En todo lo estudiado en esta lección acerca de la naturaleza del liderazgo cristiano, ¿qué aplicaciones e ideas logra conectar con su experiencia de vida y ministerio actual? ¿qué le sugiere el Espíritu Santo con respecto a su adoración, nutrición en la Palabra de Dios y celebración de las ordenanzas/los sacramentos en medio del cuerpo? ¿está creciendo en el llamado de Dios para su vida, dejando a un lado la carne en su servicio en la iglesia y ejerciendo el liderazgo con autoridad? ¿qué situación viene a su mente cuando piensa en la necesidad de cambiar o adaptar algunas cosas en su vida, para representar mejor al Señor en la adoración, la nutrición de la Palabra y la práctica y celebración de las ordenanzas/los sacramentos?

Consejería y oración

Orar por las áreas que el Espíritu trae a la memoria es crucial para recibir la gracia que, cómo líderes cristianos, necesitamos para glorificar a Dios. No dude en compartir con su mentor y compañeros de clase sus motivos de oración, comprometiéndose a interceder por ellos delante del Señor. La oración no es una pequeña pausa al comienzo y al final de una sesión, es la sangre de Cristo recibida en tiempos de necesidad. Recuerde el pasaje de Hebreos:

Heb. 4.14-16 - Por tanto, teniendo un gran sumo sacerdote que traspasó los cielos, Jesús el Hijo de Dios, retengamos nuestra profesión. [15] Porque no tenemos un sumo sacerdote que no pueda compadecerse de nuestras debilidades, sino uno que fue tentado en todo según nuestra semejanza, pero sin pecado. [16] Acerquémonos, pues, confiadamente al trono de la gracia, para alcanzar misericordia y hallar gracia para el oportuno socorro.

ASIGNATURAS

Juan 4.21-24

Versículos para memorizar

Para prepararse para la clase, por favor visite www.tumi.org/libros para encontrar las lecturas asignadas de la próxima semana o pregunte a su mentor.

Lectura del texto asignado

Querido estudiante, recuerde que será examinado sobre el contenido (contenido del video) de esta lección la próxima semana. Por favor, asegúrese de hacer el tiempo suficiente para repasar sus apuntes, sobre todo los conceptos importantes y las ideas principales de esta lección. Además, lea las páginas asignadas arriba y haga un resumen de cada lectura de no más de uno o dos párrafos. Su objetivo en este resumen es compartir su opinión sobre lo que cree es el punto principal en cada una de las lecturas. No se preocupe en proporcionar detalles; escriba de manera sencilla lo que considera es el punto principal de la sección del libro. Por favor, traiga los resúmenes a clase la próxima semana. (observe el *Reporte de Lectura* al final de la lección).

Otras asignaturas o tareas

Esperamos ansiosamente la próxima lección

En la lección uno consideramos la importancia del liderazgo como representación. Como representantes de Jesús, de su Iglesia y de la fe cristiana, somos llamados por Dios a guiar a Su pueblo a que le honre en adoración, a través de la Palabra de Dios y la celebración de los sacramentos. En nuestra próxima lección aprenderemos cómo recibir e integrar a los nuevos creyentes a la Iglesia. También veremos el significado de la paternidad espiritual y analizaremos qué consecuencias tiene guiar a las personas nacidas de nuevo a una completa madurez en Cristo.

1

Módulo 11: Practicando el Liderazgo Cristiano
Reporte de lectura

Nombre_____

Fecha_____

Por cada lectura asignada, escriba un resumen corto (uno o dos párrafos) del punto central del autor (si se le pide otro material o lee material adicional, use el dorso de esta hoja).

Lectura 1

Título y autor: _____ páginas _____

Lectura 2

Título y autor: _____ páginas _____

LECCIÓN
2

Educación Cristiana Eficaz:
Incorporando, Mentoreando y Discipulando

**Objetivos de
la lección**

¡Bienvenidos en el poderoso nombre de Jesucristo! Después de la lectura, estudio y discusión de los materiales en esta lección, usted podrá:

- Identificar los pasos más importantes para recibir e integrar a los nuevos creyentes en la Iglesia.

- Definir la incorporación desde un punto de vista bíblico y la importancia para el liderazgo cristiano.

- Describir los elementos más importantes de la incorporación, incluyendo traer a los nuevos creyentes al cuerpo de creyentes, aceptar a los nuevos creyentes basándose en su arrepentimiento y fe, cimentar a los nuevos creyentes en la verdad de Jesús, guiándoles a una vida de unidad con el cuerpo y finalmente la importancia de introducirlos al cuidado pastoral.

- Resumir el concepto de paternidad espiritual, definiendo bíblicamente el significado de mentorear a los nuevos creyentes en el Señor.

- Explicar la naturaleza de la paternidad espiritual utilizando el ejemplo del apóstol Pablo en el Nuevo Testamento.

- Exponer cuidadosamente los elementos de la paternidad espiritual y explicar cómo ésta se relaciona con la espiritualidad y crecimiento de los nuevos e inmaduros discípulos de Cristo.

Devocional

¡"Actúa según tu edad"! Ya no sea un niño en la fe.

Lea Efesios 4.7-16. Quizás no haya nada más dulce en este mundo que mirar cómo crece una persona; siendo en el principio un bebé, luego un niño, un adolescente y finalmente un adulto. El crecimiento que experimentamos de bebés a adultos es un proceso asombroso, el cual exige mucho esfuerzo. Cada una de las etapas de la vida es maravillosa, tiene dificultades y obtiene sus recompensas y cada uno de nosotros experimentamos estas fases de manera distinta. No es casualidad, por lo tanto, que el apóstol Pablo utilizase este proceso de crecimiento como una de las metáforas centrales para describir la naturaleza de la vida cristiana. El caminar de un cristiano es semejante a un recién nacido, el cual continúa creciendo a través del cuidado amoroso de sus padres, los cuales le brindan disciplina y un sabio cuidado, generando como resultado un adulto listo y dispuesto a formar su propia familia.

2

Contrariamente a la alegría de las primeras fases de la vida, sería muy triste ver a un niño quedarse en una infancia perpetua. ¿Puede imaginar a alguien siendo bebé por 15 años, a alguna persona alimentándose del pecho de su madre por 20 años, o alguien que no sepa usar el inodoro a los 45 años de edad? Lo que es comprensible y aceptable a los 2 meses ya no es aceptable a los 2 años y es considerado escandaloso a los 12 años. La mayoría de nosotros, cuando somos sorprendidos haciendo alguna cosa que no corresponde a nuestra edad, hemos escuchado de nuestros padres este dicho, "¡Actúa según tu edad!". Esto significa que el crecimiento es de gran importancia; no deberíamos actuar como bebés cuando somos niños, o comportarnos como adolescentes cuando somos adultos. Ciertamente, una persona saludable no permanecerá en sus etapas de infancia y niñez; sino que se desarrollará y madurará, desechando ciertos modales y dando lugar a otros de mayor madurez.

Pablo reta a los efesios a dejar de ser niños, y no dejarse manipular por cada una de las ideas y nociones extrañas, creyendo en cualquier viento de enseñanza extraña o mentira. La meta de la vida cristiana es la madurez, crecer según la medida de la estatura del Señor Jesús. El deseo de Dios es moldearnos a todos conforme a la madurez de Cristo, esto es posible a través de un adecuado funcionamiento del cuerpo de Cristo. Ninguno de nosotros es capaz de madurar solo; crecemos a medida que cada coyuntura y ligamento le provee al cuerpo lo necesario para la edificación del mismo, a través del amor mutuo que se manifiesta.

El llamado de Dios en Cristo sobre su vida es a que crezca, madure y sea completamente adulto, pareciéndose más y más a su Hijo. Francamente, es aceptable y comprensible ser un bebé espiritual los primeros meses, pero es absolutamente inapropiado quedarse allí. La voluntad de Dios es que crezca "para que ya no seamos niños fluctuantes, llevados por doquiera de todo viento de doctrina, por estratagema de hombres que para engañar emplean con astucia las artimañas del error, sino que siguiendo la verdad en amor, crezcamos en todo en aquel que es la cabeza, esto es, Cristo" (Ef. 4.14-15). "¡Actú según su edad!" ¡Amén!

Luego que recite y/o cante El Credo Niceno (localizado en el Apéndice), ore así:

El Credo Niceno y oración

Dios, por medio de nuestro bautismo en la muerte y resurrección de tu Hijo Jesucristo, tú nos has rescatado de nuestra vana manera de vivir. Concédenos, habiendo nosotros nacido de nuevo a una vida nueva en Cristo, que podamos vivir en justicia y santidad cada día de nuestras vidas; a través de nuestro Señor Jesucristo, quien vive y reina contigo y el Espíritu Santo, un Dios, ahora y para siempre. Amén.

~ Episcopal Church. **The Book of Common Prayer and Administrations of the Sacraments and Other Rites and Ceremonies of the Church, Together with the Psalter or Psalms of David.** New York: The Church Hymnal Corporation, 1979. p. 254.

Prueba

Deje las notas a un lado, haga un repaso de sus pensamientos y reflexiones, y tome la prueba de la lección 1, *Dirigiendo una Adoración Eficaz: Adoración, Palabra y Sacramento*.

Revisión de los versículos memorizados

Repase con un compañero, escriba y/o recite los versículos para memorizar en la última clase: Juan 4.21-24.

Entrega de tareas

Entregue el resumen de la lectura asignada la última semana, es decir, su breve respuesta y explicación de los puntos principales del material de lectura (Reporte de lectura).

Difícil de integrarse

Sorpresivamente, uno de los nuevos miembros de su iglesia se le acerca y le dice que no piensa pertenecer más a su iglesia. Sorprendido, pregunta el por qué y recibe como respuesta: "no me he sentido del todo bienvenido desde que he llegado. Tú y otros pocos han sido cariñosos conmigo, pero nunca había estado en una iglesia a la que fuera tan difícil integrarse. Es como si las personas no quisieran que alguien se acerque a la iglesia. Yo ya hice todo mi esfuerzo. Concurrí a los estudios bíblicos, a los tiempos de compañerismo, ayudé en algunas actividades evangelísticas. Pero mire ahora, después de dos años, continúo sin tener un sólo amigo en esta iglesia. Me doy por vencido. Ya no creo que Dios me quiera aquí". ¿Qué le contestaría a este hermano?

"Sólo Dios es mi Padre".

En uno de los estudios bíblicos de la iglesia surge una discusión sobre la paternidad espiritual según el Nuevo Testamento. Un miembro confesó su molestia con todo lo hablado: "yo sé que está en la Biblia y por lo tanto es una idea válida, pero creo que deberíamos ser cuidadosos cuando hablamos de la paternidad espiritual. La verdad es que mantengo el concepto de que sólo Dios es mi Padre. ¿Acaso Jesús no nos advirtió acerca de la gente que toma este tipo de autoridad en nuestras vidas?" A causa de estos comentarios, la discusión se volvió acalorada en torno al significado de estos conceptos, y se planteó la duda si esta metáfora es verdaderamente válida en la actualidad. Mientras algunos creen que la misma tiene un gran valor para la vida cristiana, otros interpretan que fue pertinente sólo en el tiempo de los apóstoles y sus aprendices (por ejemplo: Timoteo, Tito y otros). ¿Qué debería enseñar en este estudio acerca de la validez de la paternidad espiritual y su significado en la actualidad?

Discipulado que se sale de control

Como co-pastor asociado de una iglesia creciente, escucha al participante de un grupo familiar decir que su líder es demasiado agresivo con los miembros de su pequeño rebaño. Usted sabe que ese líder es alguien que ama al Señor, una buena persona y sólido en la iglesia, pero la supervisión que ha ejercido se ha salido de control. Él quiere imponer que lean la Biblia, demandando a cada uno de ellos que le consulten antes de que hagan alguna cosa y aún le ha negado la comunión a aquellos que sospecha que no están caminando con el Señor. Algunos miembros de la iglesia han amenazado con irse a menos que la situación del grupo cambie. ¿Cómo haría en esta situación para buscar el bien del líder y a la vez mejorar la situación del grupo familiar, el cual está nervioso por el nivel de control ejercido por él mismo?

2

Educación Cristiana Eficaz: Incorporando, Mentoreando y Discipulando

Segmento 1: Incorporando nuevos creyentes al pueblo de Dios

Rev. Dr. Don L. Davis

Como líderes cristianos, debemos incorporar a los nuevos creyentes al cuerpo, proveyendo a la Iglesia de nuevos creyentes a los cuales debemos, como padres espirituales, cuidar especialmente con el fin de que maduren en Cristo.

Nuestro objetivo para este segmento, *Educación Cristiana Eficaz: Incorporando nuevos creyentes al pueblo de Dios*, es lograr que vea que:

- Como líderes cristianos, debemos incorporar a los nuevos creyentes a la comunión de Cristo, darles la bienvenida e integrarlos a nuestra vida y relación en el cuerpo.

- La incorporación es un principio bíblico fundamental para el cuidado cristiano, creando un ambiente propicio para que los nuevos miembros del cuerpo sean recibidos en la familia de Dios.

- Nuestra habilidad de recibir a los nuevos creyentes calurosamente y de manera amistosa en la comunidad cristiana, determinará el éxito de nuestro liderazgo en la iglesia.

- Nadie necesita cambiar su identidad cultural para unirse al cuerpo de Cristo.

Resumen introductorio al segmento 1

- Los nuevos miembros deben ser aceptados por su arrepentimiento y fe en Jesucristo, cimentándolos inmediatamente en una sólida doctrina cristiana (catequesis).

- La incorporación implica la inclusión a la vida de la comunidad cristiana y el cuidado pastoral amoroso.

Video y bosquejo segmento 1

I. Significado de incorporar a los nuevos convertidos al pueblo de Dios

A. Definición: *el líder cristiano es alguien que recibe a los nuevos miembros del pueblo de Dios y los incorpora a los nuevos creyentes a la familia de Dios.*

1. Recibe a los nuevos miembros del pueblo de Dios: *el líder cristiano ayuda a crear un ambiente donde los nuevos miembros de la comunidad se sienten bienvenidos a la familia de Dios.*

   a. La aceptación de los gentiles por Pedro fue en contra de sus principios, pero lo hizo debido a que Dios decidió recibirlos, Hechos 10.44-48.

   b. Somos llamados a recibir a cada persona en el Señor, Ro. 15.5-7.

   c. Cada uno de nosotros, no importando nuestro trasfondo, somos aceptados a causa de nuestra fe en Jesucristo. Por lo tanto, debemos también recibir a cada persona con esta característica, Gál. 3.13-14.

2. Incorpora a los nuevos creyentes a la familia de Dios: *el líder cristiano ayuda a incorporar a los nuevos creyentes a la familia de Dios de manera cariñosa y amistosa.*

   a. Pablo reprendió a Pedro por la dificultad que tenía el mismo en aceptar a los gentiles, Gál. 2.11-16.

2

b.   Para la Iglesia primitiva, el mandato de recibir a los gentiles a la familia de Dios fue todo un reto, Hechos 11.17-18.

c.   En Cristo, todas las barreras sociales son vencidas, por este motivo debemos recibir a los nuevos creyentes en la familia de Dios basándonos únicamente en su fe en Jesucristo.

   (1)   Col. 3.11

   (2)   Ro. 3.29

   (3)   1 Co. 12.13

   (4)   Gál. 3.28

2

B.   Implicaciones para el liderazgo cristiano

1.   Nadie debe cambiar su identidad cultural para entrar en la familia de Dios; ellos pueden acercarse tal y como son, Ro. 10.12.

2.   La lección que recibió la Iglesia primitiva al recibir a los gentiles debe aplicarse en la actualidad en lo concerniente al recibimiento de los nuevos creyentes, dejando atrás las diferencias que podamos tener en nuestros orígenes y gustos con las personas que se suman a la familia de Dios, Ef. 3.6.

3.   El Señor añade personas al cuerpo según su voluntad, siendo nuestra responsabilidad obedecer la misma, Hechos 2.46-47.

4.   Nuestra habilidad en incorporar a los nuevos creyentes revela nuestra madurez en Jesucristo y aún nuestra identidad como creyentes ante Dios, Gál. 3.28-29.

5.   El incorporar a aquellos que se arrepienten y creen en Jesús, a pesar de su trasfondo o pasado, es un reflejo de nuestro entendimiento del evangelio y de las implicaciones del reino de Dios.

a. Juan 13.34-35

b. Gál. 5.6

c. Gál. 5.13-14

d. 1 Juan 4.7-8

II. Elementos al incorporar a los nuevos miembros en el pueblo de Dios

A. Aceptar a los nuevos miembros en basea su arrepentimiento y fe en Jesucristo.

Ef. 2.13-19 - Pero ahora en Cristo Jesús, vosotros que en otro tiempo estabais lejos, habéis sido hechos cercanos por la sangre de Cristo. [14] Porque él es nuestra paz, que de ambos pueblos hizo uno, derribando la pared intermedia de separación, [15] aboliendo en su carne las enemistades, la ley de los mandamientos expresados en ordenanzas, para crear en sí mismo de los dos un solo y nuevo hombre, haciendo la paz, [16] y mediante la cruz reconciliar con Dios a ambos en un solo cuerpo, matando en ella las enemistades. [17] Y vino y anunció las buenas nuevas de paz a vosotros que estabais lejos, y a los que estaban cerca; [18] porque por medio de él los unos y los otros tenemos entrada por un Espíritu al Padre. [19] Así que ya no sois extranjeros ni advenedizos, sino conciudadanos de los santos, y miembros de la familia de Dios.

1. Celebrar la llegada de los nuevos miembros al pueblo de Dios, sin importar el trasfondo del que vienen, o lo que hicieron antes de que se arrepintieran y creyeran.

a. Col. 3.11

b. Gál. 3.26-28

2. Presentar a los nuevos miembros a la familia de Dios tan pronto como sea posible, Fil. 1.8-16.

3. Unir a todos los miembros a la comunión, no mostrando parcialidad con los nuevos creyentes, Santiago 2.1-4.

B. Cimentar a los nuevos creyentes en la fe, enseñándoles la sana doctrina lo más pronto posible (*catequesis*).

   1. Instruir a los nuevos creyentes con el propósito de bautizarles (la confesión pública de su decisión de seguir a Cristo)

      a. Mc. 16.15-16

      b. Mt. 28.19

   2. Dar seguimiento a los nuevos cristianos, colocándolos en un grupo pequeño, un grupo familiar.

      a. 1 Ti. 6.12

      b. 2 Ti. 2.1-2

      c. Mt. 10.32-33

      d. Juan 13.34-35

2

3. Enseñar la naturaleza de la salvación por la gracia a través de la fe en Jesucristo

    a. Garantía de la salvación, 1 Juan 5.10-13

    b. Arrepentimiento de las acciones pasadas para servir a Dios, Heb. 9.13-14

    c. Adopción de un estilo de vida piadoso
        (1) 1 Juan 2.1-3
        (2) 1 Juan 3.2-5

4. Proveer una visión general de la cosmovisión cristiana inmediatamente, Ro. 12.1-2.

    a. Ayudarles a comprender la historia del Reino de Dios y de Jesús como el cumplimiento en el NT de las profecías del AT, Lucas 24.44-48.

    b. Explicarles los conceptos de la guerra espiritual en nuestra fe: Jesús vino a destruir al diablo y todos los efectos de la maldición, 1 Juan 4.4.

    c. Enseñar El Credo Niceno como un resumen de la fe cristiana en la historia.

5. Explicarles el papel de la Palabra, de los sacramentos, las disciplinas espirituales y la guía poderosa del Espíritu Santo en la Iglesia.

C. Guiar a los nuevos creyentes sobre las bases de la comunidad cristiana.

1. Instruir a los nuevos creyentes en el papel que tiene la Iglesia en el discipulado cristiano (la importancia de la unidad), Fil. 2.1-2.

   a. Como familia de Dios: la Iglesia es la casa donde viven, trabajan y juegan aquellos que pertenecen a esta familia, 1 Juan 3.2

   b. Como cuerpo de Cristo: la Iglesia es la persona que utiliza Dios para representarlo en el mundo, Ro. 12.4-8

   c. Como templo del Espíritu Santo: la Iglesia es el lugar donde Dios vive y es adorado en todo el mundo, 1 Co. 6.19-20

2. Presentar públicamente a los creyentes al compañerismo cristiano, Ro. 15.7.

3. Conectarlos con personas piadosas que pueden cimentar a los nuevos creyentes en la fe.

   a. Gál. 6.2

   b. 1 Pe. 3.8

   c. Fil. 2.3-4

4. Presentarlos a un miembro activo, familia y grupo familiar (grupo pequeño) que puedan cimentarles en la fe, 1 Co. 12.24-27.

D. Asignar a los nuevos creyentes al cuidado pastoral.

1. Enseñarles los principios bíblicos sobre la autoridad que tienen los pastores en el pueblo de Dios.

    a. Heb. 13.17

    b. 1 Ts. 5.12

2. Explicar el papel del liderazgo cristiano en el desarrollo de la fe y crecimiento en el Señor.

    a. Guiarles en la Palabra de Dios, 1 Ti. 5.17

    b. Guardarles del error y la destrucción, Hechos 20.28-31

3. Animarles a una relación amistosa con sus líderes e interactuar con ellos, Heb. 13.7.

Conclusión

» El proceso de recibir e integrar a los nuevos creyentes a la Iglesia es llamado "incorporación".

» Como líderes cristianos, somos llamados a ser representantes de Dios, haciendo todo lo posible para incorporar a los nuevos creyentes a la unidad de la iglesia, de la manera más amistosa y calurosa posible.

» La incorporación implica aceptar a los nuevos creyentes en base a su arrepentimiento y fe en Jesucristo, cimentándolos en la Palabra de Dios, y guiándolos hacia la vida familiar de la Iglesia, asegurando la presencia de pastores piadosos que pastoreen el cuerpo.

2

Hágase un tiempo para contestar éstas y otras preguntas formuladas en el video. El principio de incorporación tal vez sea una de las responsabilidades más importantes que los cristianos deben enfrentar en las iglesias urbanas. Ciertamente, la inhabilidad de recibir a los nuevos creyentes en nuestras iglesias e integrarles en la vida de nuestro cuerpo es uno de los problemas más preocupantes que enfrentan las iglesias, no sabiendo como conservar el fruto de nuestro evangelización en la ciudad. Sea claro y conciso en sus respuestas y siempre que sea posible, ¡apóyelas en las Escrituras!

1. ¿Por qué nuestro entendimiento acerca de la educación cristiana comienza con el recibimiento de los nuevos creyentes dentro de nuestras iglesias? ¿Qué está en juego si los nuevos creyentes no se sienten bienvenidos en nuestras iglesias urbanas?

2. ¿Cómo nos ayuda el ejemplo de la relación de Pedro con los gentiles, a no rechazar a personas en nuestras iglesias con otra cultura y trasfondo?

3. ¿Por qué debemos incorporar a los nuevos creyentes a la confraternidad del cuerpo lo antes posible? ¿Por qué demorar en este sentido implica un gran peligro tanto para nuestras iglesias como para los nuevos creyentes?

4. ¿Es necesario cambiar nuestra identidad cultural para unirnos al cuerpo de Cristo? ¿Por qué sí o por qué no?

5. ¿Por qué nuestra habilidad en incorporar a los nuevos creyentes a la comunidad cristiana es un barómetro de nuestra madurez y profundidad en Cristo? ¿Qué sucede con las iglesias que no logran incorporar a los nuevos creyentes a su vida y adoración?

6. ¿Por qué la profesión de fe en Jesucristo es el criterio más importante de la incorporación en el cuerpo de Cristo?

7. ¿Qué papel tiene la sana doctrina en los primeros pasos de los nuevos creyentes que se acercan a la Iglesia? ¿Qué temas deben enseñarse primeramente a los nuevos creyentes en la Iglesia? ¿Cómo deben hacerse?

8. ¿Cuál es la mejor forma de ayudar a los nuevos creyentes a formar relaciones duraderas y profundas con otros miembros del cuerpo de Cristo?

9. Describa algunas maneras en las cuales podemos poner en las manos a los nuevos creyentes en aquellos que podrían darles un cuidado pastoral claro y con excelencia. ¿Puede esta tarea ser delegada a otros? Si la respuesta es sí, ¿a quiénes?

2

Educación Cristiana Eficaz: Incorporando, Mentoreando y Discipulando

Segmento 2: Mentoreando y discipulando en la iglesia

Rev. Dr. Don L. Davis

Resumen introductorio al segmento 2

La paternidad espiritual es el arte de educar y proteger a los nuevos creyentes en el contexto de la iglesia local.

Nuestro objetivo para este segmento, *Educación Cristiana Eficaz: Mentoreando y discipulando en la iglesia*, es que vea que:

- Los líderes cristianos están llamados a ser parte de la edificación de la iglesia a través de la paternidad espiritual ofrecida a los nuevos e inmaduros creyentes en el cuerpo de Cristo.

- Este padre no se enseñorea ni controla al nuevo creyente, sino que lo equipa a través del ejemplo y la enseñanza para que viva como un discípulo maduro y fructífero de Cristo.

- Todos los esfuerzos para equipar y mentorear, tienen como objetivo que los miembros del cuerpo de Cristo crezcan en madurez, y no establecer un método de control de parte del líder o maestro.

- Pablo usó la metáfora de la paternidad espiritual para describir la relación que tenía con los individuos e iglesias bajo su cuidado. De la misma forma en la que un padre cuida a un hijo, Pablo educó a los creyentes en la fe a través de una correspondencia personal con ellos, intercediendo por ellos en oración, dando de su ejemplo personal, instruyéndolos y enviando representantes capaces de ayudarlos en sus necesidades.

- Al igual que los apóstoles educaron a sus hijos espirituales a través de un cuidado fiel y nutrido, el Señor nos llama a asumir la responsabilidad del cuidado, la alimentación y la protección personal de los nuevos creyentes que tenemos bajo nuestro cuidado, utilizando el entendimiento y la práctica de los apóstoles.

2

I. El significado de mentorear a los nuevos creyentes en la familia de Dios

A. Definición: *el líder cristiano es alguien que equipa al pueblo de Dios, mentoreando a sus hijos e hijas espirituales, guiándolos dentro de la familia de Dios hacia la madurez en Cristo.*

1. Equipar al pueblo de Dios: *a través del ejemplo y la enseñanza, el líder cristiano equipa a los miembros de la Iglesia para que vivan como discípulos fructíferos de Jesús.*

   a. Dios ha elegido quiénes deben equipar a Su pueblo para la obra del ministerio, Ef. 4.11-13.

   b. Estos individuos son llamados especialmente y dotados con el propósito de edificar al pueblo de Dios, 1 Pe. 5.1-3.

2. Mentoreando a sus hijos e hijas espirituales: *la paternidad espiritual involucra un cuidado tierno y amoroso a los cristianos que crecen como discípulos de Cristo,* 1 Co. 4.14-15.

3. Hacia la madurez en la familia de Dios: *todos los esfuerzos para equipar y mentorear deben seguir el propósito que los miembros del cuerpo de Cristo maduren cada vez más,* Ef. 4.13-16.

B. Implicaciones para liderazgo cristiano

1. Dios ha provisto para que su pueblo crezca y dé fruto.

2. El Señor ha llamado y dotado a hombres y mujeres para que equipen a su pueblo para la obra del ministerio.

Video y bosquejo segmento 2

[Exposición sobre 1 Ts. 2.7]: Pablo y sus compañeros cuidaron de los nuevos creyentes como una madre cuida delicadamente a sus hijos pequeños. Esta ilustración nos provee de un buen ejemplo para quienes somos responsables de cuidar a los nuevos creyentes. Si una madre que cría a su hijo no se alimenta a sí misma, tampoco puede alimentar a su bebé. Si ella come ciertas comidas, su bebé se enfermará. La dieta espiritual de un padre cristiano es similar y de vital importancia para la salud de un nuevo cristiano. La dulzura y generosidad de Pablo como padre espiritual brilla a través de esta ilustración.
~ J. F. Walvoord, *The Bible Knowledge Commentary: Una Exposición de las Escrituras.* (electronic ed.) Wheaton, IL: Victor Books: 1983, c1985.

3. Estos individuos proveen cuidado a los creyentes de la misma forma que los padres proveen para sus hijos.

4. El propósito de este cuidado especial es la edificación de la Iglesia de Cristo, la cual crece dentro de la plenitud de Cristo, para gloria y honra de Dios: Dios está edificando su casa para habitar en ella.

   a. Ef. 2.19-22

   b. 1 Pe. 2.4-5

5. ¡Dios desea que cada líder participe en este emocionante ministerio de la edificación de Su pueblo!

II. Comprendiendo el modelo apostólico de Pablo sobre la paternidad espiritual

Al comprender la forma en la cual Pablo ministraba como padre espiritual a los creyentes que crecían en la fe, podemos discernir nuevas formas de discipular a los creyentes en Cristo Jesús.

A. Correspondencia personal

1. Pablo escribió cartas personales para ser leídas por todos los creyentes, algunas de éstas forman parte de los libros del Nuevo Testamento.

   a. 1 Ts. 5.27

   b. Col. 4.16

2. Pablo autenticó el mensaje de estas cartas afirmando que provenían de su propia mano, o que él mismo las había dictado/firmado.

   a. 1 Co. 16.21

   b. 2 Ts. 3.17 (contrastar con Ro. 16.21-24)

3. El apóstol Pablo creyó que era fundamental contestar preguntas específicas sobre distintas situaciones a las que enfocaban sus cartas (en las cuales corrige a las distintas iglesias).

   a. La problemática de *los corintios* con la inmoralidad sexual, 1 Co. 5.9-11

   b. La problemática de *los gálatas* con el legalismo, Gál. 3.1-3

   c. La problemática de *los tesalonicenses* con la pereza, 2 Ts. 3.6-8

   d. La problemática de *los romanos* con el orgullo, Ro. 11.11-14

   e. La problemática de *los colosenses* con las filosofías extrañas, Col. 2.8-10

4. Es evidente que Pablo conocía lo que cada situación requería, respondiendo a estos asuntos por medio de sus cartas, en las cuales hablaba específicamente de estas preocupaciones, ver 1 Co. 7.1-2.

5. Pablo escribía a las congregaciones, no para fastidiarles sino para "martillar" ciertas verdades fundamentales en la fe, Fil. 3.1-2.

B.   Intercesión personal

1.   Pablo oraba sin cesar por el desarrollo y el crecimiento espiritual de los nuevos creyentes, ver Ro. 1.9-12.

2.   Las oraciones abarcan muchos temas.

a.   Por iluminación espiritual, Ef. 1.15-23

b.   Por la oportunidad de verles y animarles, Ro. 1.9-12

c.   Con acción de gracias por recordar la fe y amor de ellos, 1 Ts. 1.3 y sig.

d.   Por fortaleza y provisión en el Padre, Ef. 3.1 y sig.

3.   La oración de Pablo no era casual ni irregular; su ministerio de oración por los creyentes abarcaba la totalidad de sus vidas.

a.   Ro. 1.8-9

b.   Fil. 1.3-4

c.   Col. 1.3

d.   2 Ts. 1.3

2

4. En todo el ministerio de Pablo, nada ocupó jamás el lugar de la oración ferviente y regular por los nuevos creyentes.

C. Presencia personal y ejemplo

1. Pablo exhortó a otros a seguir su ejemplo en Cristo como modelo para el discipulado, 1 Corintios 11.1.

    a. 1 Co. 4.16

    b. 1 Co. 10.33

    c. Fil. 3.17

    d. 1 Ts. 1.6

    e. 2 Ts. 3.7-9

    f. 2 Ts. 3.9

    g. Heb. 6.12

2. Pablo recordó su propia historia en la fe, por lo cual exhortó a los creyentes a crecer en Cristo.

    a. Hch. 20.31

b. 1 Ts. 2.9-10

3. Pablo sufrió por discipular a los nuevos creyentes en la fe, 2 Co. 6.3-10.

4. Exhortó a otros líderes, haciendo con frecuencia mención de su caminar con Cristo y sus pruebas, como un ejemplo para que otros aprendieran, 2 Ti. 1.8-13.

D. Instrucción personal y mentoreo como padre

1. Pablo se refirió a Timoteo y otros discípulos como sus "hijos en la fe".

   a. 2 Ti. 2.1

   b. 1 Ti. 1.2

   c. 1 Ti. 1.18

   d. Tito 1.4

2. Pablo amonestó a los creyentes al igual que un padre amonesta a sus hijos.

   a. 1 Co. 4.14-17

   b. Esta preocupación incluye un cuidado tierno y amoroso similar al que una madre o padre da a sus hijos, 1 Ts. 2.7-8.

2

3. El cuidado de Pablo como padre espiritual fue demostrado a través de una mezcla de exhortación y estímulo, conducta y estilo de vida, 1 Ts. 2.10-12.

4. Pabló sufrió angustia y se preocupó de los nuevos creyentes como un padre se preocupa por sus hijos, Gál. 4.19.

E. Representantes personales

1. Pablo envió a Timoteo y a otros a misiones particulares con el propósito de que trabajaran, con buena voluntad, en varias iglesias, Fil. 2.19-22.

2. A menudo enviaba a los representantes de ciertas congregaciones de regreso con una palabra sobre su situación en particular, Fil. 2.25-26.

3. Pabló usó mensajeros que le informaban el estado de las congregaciones bajo persecución o tribulación, 1 Ts. 3.6.

4. Para cimentar a los nuevos creyentes en la fe, Pablo envió representantes sólidos para que exhortaran y animaran a los cristianos en crecimiento, 1 Ts. 3.2.

III. Aplicando el modelo paulino de la paternidad espiritual en nuestra guía a las congregaciones urbanas

A. Comprometerse fielmente a la oración intercesora por sus almas: *la importancia de la súplica*

Parece raro que Pablo, siendo hombre, se comparara a una "madre criando", en 1 Tesalonicenses 2.7. (Considerar también 1 Co. 4.14–15 donde declara ser un padre espiritual que había "engendrado" a los santos corintios por medio del evangelio). Más adelante, en 1 Tesalonicenses 2.9–13, Pablo usa la imagen de un padre, pero el principal pensamiento aquí es el cuidado amoroso. Los nuevos cristianos necesitan amor, alimento y cuidado tierno, así como una madre se los da a sus hijos. Los bebés recién nacidos necesitan la leche de la Palabra (1 Pe.2.2) siendo ésta "graduada" para su apetito (1 Co. 3.1–4; Heb. 5.11–14), el pan (Mt. 4.4 y Ex. 16, el maná), y la miel (Sal. 119.103). Que una madre alimente a su hijo es tan importante como el alimento que le da. ¡Qué importante es que los cristianos adultos alimentemos a los creyentes más jóvenes amorosamente y con paciencia!
~ W. W. Wiersbe. *Wiersbe's Expository Outlines on the New Testament* (1 Thess. 2.1), (electronic ed.). Wheaton, IL: Victor Books 1997 (original copyright 1992).

1. Haga y mantenga una extensa lista de oración y ora fielmente por la misma, 1 Ti. 2.1-4.

2. Cultive un espíritu de oración en todo lo que hace por aquellos a quienes guía.

    a. Ro. 12.12

    b. Sal. 62.8

    c. Hch. 6.4

    d. Ef. 6.18-19

    e. Fil. 4.6-7

    f. Col. 4.2

B. Comparta una vida en común con sus hijos y sea modelo en la vida cristiana para sus hijos espirituales: *la importancia de la presencia*

    1. Deje que su vida modele el significado de ser un seguidor de Jesús el Mesías, 1 Ti. 4.12.

    2. 1 Co. 11.1

    3. Tito 2.7

4.   1 Pe. 5.3

C.   Asegure la alimentación personal y la nutrición apropiada: *la importancia de la provisión*

1.   El corazón del liderazgo cristiano consiste en ocuparse en alimentar a las ovejas del Señor, Juan 21.15-17.

2.   Alimente a los bebés en forma individual; ¡no use una manguera de riego para alimentarlos a todos a la vez! 1 Ts. 2.7-8.

3.   Ponga cuidadosa atención al rebaño en cada área en particular, Hch. 20.28.

D.   Provea cuidado personal y protección: *la importancia de cuidar* (24 horas, 7 dias a la semana)

1.   Su papel es *vigilar las almas de aquellos que Dios le ha dado para que cuide*, Heb. 13.17.

2.   *Proveer cuidado y ofrecer nutrición* son las dimensiones del pastorado a las cuales debemos estar atentos, 1 Pe. 5.2-3.

E.   Instrucción contínua y buena disciplina: *la importancia de nutrir (educar)*

1.   Su papel es *enseñar y predicar* la Palabra de Dios, 1 Ti. 5.17.

2.   *Hacer que los creyentes recuerden* nuestra esperanza en Cristo, 1 Ti. 4.6.

3. *Sea disciplinado en el entrenamiento que da,* por el bien de su paternidad espiritual, 1 Ti. 4.16.

4. Sea un padre formal, *anime y desafíe a sus hijos espirituales* para que alcancen la madurez en Cristo, 2 Ti. 4.2.

Conclusión

» El líder cristiano es alguien que equipa al pueblo de Dios, mentoreando espiritualmente a sus hijos e hijas espirituales hacia la madurez en Cristo, dentro de la familia de Dios.

» Podemos aprender mucho acerca de la paternidad espiritual a través del ejemplo del apóstol Pablo, quien equipó a sus hijos espirituales a través de la correspondencia personal, la oración, el ejemplo, la instrucción y el envío de representantes.

» Podemos emplear el mismo modelo de Pablo en nuestra nueva generación de iglesias y líderes, con el propósito de que los nuevos discípulos impacten a su generación para la gloria de Cristo.

Seguimiento 2

Preguntas y reflexión acerca del contenido del video

Las siguientes preguntas están diseñadas para que revise el material del video en el segundo segmento. El poder de la paternidad espiritual debe ser parte de nuestra experiencia en la iglesia urbana. Necesitamos descubrir nuevas formas, prácticas y creativas, de discipular a los nuevos creyentes en la ciudad. Medite en cada una de las preguntas y sea conciso en sus respuestas, ¡basando las mismas en las Escrituras!

1. ¿En qué sentido el Señor dotó a individuos con la responsabilidad de equipar al cuerpo de Cristo para la obra del ministerio? ¿Cómo podemos discernir quiénes son estos individuos en nuestra experiencia en la iglesia local?

2. ¿Cuáles son los rasgos más importantes de un buen padre espiritual? ¿Qué clase de persona no debe ser puesta en el papel de padre espiritual para los creyentes nuevos y/o inmaduros?

3. ¿Por qué es importante desarrollar discípulos en la familia de Dios, es decir, en la iglesia local? ¿Es posible equipar a los discípulos para que vivan la vida cristiana separados de la iglesia local? Explique su respuesta.

4. ¿Cómo nos ayuda la imagen de la paternidad a comprender la naturaleza del auténtico liderazgo cristiano?

5. ¿Cómo usó Pablo la correspondencia personal para equipar a los individuos e iglesias en la vida cristiana? ¿Cómo podemos adaptar el ejemplo de Pablo para hacer disípulos en nuestro contexto, por ejemplo: el correo electrónico?

6. ¿Qué papel tuvieron la oración y la intercesión personal en el ministerio de Pablo en lo que respecta al crecimiento de los discípulos y sus iglesias? ¿Cómo podemos aprender de este intenso compromiso de oración personal para aplicarlo en nuestros ministerios, en la iglesia y entre los perdidos?

7. ¿De qué maneras Pablo exhortó a otros a seguir su ejemplo en Cristo como un modelo para la madurez espiritual? ¿Cómo podemos hacer lo mismo con aquellos a quienes guiamos el día de hoy?

8. ¿Cómo es que el ejemplo de Pablo de instruir personalmente a sus "hijos en la fe" nos ofrece un modelo sólido para entender nuestro entrenamiento a otros el día de hoy?

9. Pablo envió representantes a las iglesias con mensajes de esperanza e instrucción, a las iglesias en crecimiento. ¿Cómo podemos emplear esta estrategia en la actualidad de equipar a los creyentes para que vivan la vida cristiana?

10. De todos los rasgos mencionados en esta lección acerca de la educación cristiana eficaz, ¿cuál cree usted que es el más importante al discipular a los cristianos urbanos de hoy? Explique su respuesta.

CONEXIÓN

Resumen de conceptos importantes

Esta lección está enfocada en la tarea de los líderes cristianos de incorporar a los nuevos creyentes a la Iglesia y equiparlos para que vivan la vida cristiana. Estos conceptos están relacionados con la lección 1 en la cual estudiamos cómo guiar a los creyentes en la adoración, la Palabra y los sacramentos. Estas prácticas son parte del significado de ser un líder siervo que nutre a otros en la Iglesia. El entendimiento y dominio de estos conceptos es de gran importancia para cumplir con nuestra responsabilidad de "alimentar las ovejas" del Señor Jesús (lea Juan 21.17 donde Jesús le dice por tercera vez a Pedro: "Simón, hijo de Jonás, ¿me amas?" Pedro se entristeció de que le dijese la tercera vez: "¿Me amas?" y le respondió: "Señor tú lo sabes todo; tú sabes que te amo". Jesús le dijo: *"Apacienta mis ovejas")*.

- Como líderes cristianos debemos incorporar a los nuevos creyentes a la comunión en Cristo, creando un ambiente donde se les pueda dar la bienvenida e integrarlos a nuestra vida y relación en el cuerpo.

- La incorporación es un principio bíblico fundamental para el cuidado cristiano, creando un ambiente propicio para que los nuevos miembros del cuerpo sean recibidos en la familia de Dios.

- Nuestra habilidad para dar la bienvenida a los nuevos creyentes calurosa, rápida y suavemente a nuestra comunidad cristiana determinará la viabilidad en general de nuestra iglesia y su testimonio entre aquellos que son diferentes a nosotros en trasfondo y cultura.

- Nadie necesita cambiar su identidad cultural para poder unirse al cuerpo de Cristo. Somos libres en Cristo de permanecer como somos, culturalmente, cuando primero recibimos a Cristo.

- Los nuevos miembros deben ser aceptados por su arrepentimiento y fe en Jesucristo, y deben ser cimentados inmediatamente en la sólida doctrina cristiana (catequésis).

- La incorporación también involucra hacer que los nuevos creyentes se sientan como en casa en la vida de la comunidad cristiana como también asegurarse que cada nuevo creyente reciba una supervisión pastoral amorosa.

- Los líderes cristianos están llamados a ser parte de la edificación de la Iglesia a través de la paternidad espiritual dada a los creyentes nuevos e inmaduros en el cuerpo de Cristo.

- Estos padres no se enseñorean ni controlan al nuevo creyente, sino que lo equipan a través de ejemplo y la enseñanza para que viva como discípulo maduro y fructífero de Cristo.

- Todos los esfuerzos para equipar y mentorear, tienen como objetivo que los miembros del cuerpo de Cristo crezcan en madurez, y no establecer un método de control de parte del líder o maestro.

2

☞ Pablo usó la metáfora de la paternidad espiritual para describir la relación que tenía con los individuos e iglesias bajo su cuidado. De la misma forma en la que un padre cuida a un hijo, Pablo educó a los creyentes en la fe a través de una correspondencia personal con ellos, intercediendo por ellos en oración, dando de su ejemplo personal, instruyéndolos y enviando representantes.

☞ Al igual que los apóstoles educaron a sus hijos espirituales a través de un cuidado fiel y de brindarles alimento, el Señor nos llama a asumir la responsabilidad del cuidado, la alimentación y la protección personal de los nuevos creyentes que tenemos bajo nuestro cuidado, utilizando el entendimiento y la práctica como los apóstoles.

2

Es tiempo de discutir con sus compañeros sus preguntas acerca de la necesidad de incorporar nuevos creyentes a la Iglesia, estableciéndolos en la fe a través de un discipulado piadoso, por medio de la paternidad espiritual. Ningún creyente puede quedar como huérfano espiritual. Cada uno necesita el cuidado amoroso y supervisión tanto de pastores y maestros. Estos conceptos sin duda han producido en usted preguntas directas e importantes para su vida personal. ¿Qué preguntas tiene a la luz del material estudiado? Tal vez algunas de las preguntas a continuación le ayuden a formular las suyas de manera más específica.

Aplicación del estudiante

* Cuando observo mi propia experiencia, ¿fui rápidamente recibido e integrado a la Iglesia luego de arrepentirme y creer en Cristo como mi salvador? ¿Qué tipo de problemas encontré con la incorporación en mi crecimiento? ¿De qué cosas debo estar consciente en la actualidad para incorporar a otros a mi iglesia?

* ¿Estoy realmente convencido de que no es posible el crecimiento como discípulo sin el cuidado y la nutrición de líderes piadosos en el cuerpo de Cristo? ¿Qué creo acerca de este punto?

* ¿Quién me discipuló en la fe? ¿Me "eduqué yo mismo", espiritualmente hablando, o alguien fue mi padre o madre espiritual en el Señor?

* ¿Mis padres espirituales dirían que soy un 1) hija fácil de criar o 2) un hijo problemático, cabeza dura y testarudo? Explique su respuesta.

* ¿Cuáles son las características y actitudes más importantes que debemos tener para que un nuevo creyente se sienta como en su casa cuando concurre a la iglesia?

* ¿Qué clase de padre espiritual soy en la actualidad? ¿Me considero capaz de cuidar a otros espiritualmente? Explique su respuesta.

* De las cinco formas en las cuales Pablo crió a sus "hijos en la fe", ¿en cuál soy más fuerte y en cuáles tengo carencias? ¿Cómo describirían mis líderes, en la actualidad, mi forma de guiar a otros espiritualmente?

* De todas las actitudes y habilidades que se necesitan para ser un padre competente y piadoso, ¿cuál creo que el Espíritu Santo quiere que busque aprender más en mi vida?

Casos de estudio

"Yo no conozco del todo al pastor".

1 Una estimada hermana, de humilde condición económica baja y con hijos, sirve en una mega-iglesia, disfrutando plenamente su servicio, especialmente los sermones del pastor los cuales son chistosos, ricos y desafiantes. Por muchos años, sin embargo, no había conocido al pastor y sus problemas iban en aumento: su esposo había abandonado a la familia dejándola a ella y a sus hijos financieramente en apuros y psicológicamente estresada. Ella necesita de un cuidado pastoral y una guía espiritual, pero en una iglesia tan grande no logra conocer a mucha gente. Su grupo familiar (de una cultura diferente a la de ella) le simpatiza, pero ninguno de ellos está preparado para tratar con semejantes dificultades y complejidades. Esta estimada hermana se acerca a usted pidiendo ayuda, no conociendo a nadie más, y exclama tristemente, "me gusta mi iglesia, pero no conozco del todo al pastor". ¿Qué tipo de ayuda y consejo le daría a esta hermana en su situación familiar y en su papel en la iglesia?

"Eso es muy peligroso para mi".

2 Un estimado hermano, al ser expuesto a la enseñanza del Nuevo Testamento sobre la necesidad de la mentoría espiritual de los creyentes nuevos e inmaduros, rechazó por completo la idea de la mentoría espiritual como una estrategia para el cuidado pastoral.

"Puedo ver que Pablo habló de sí mismo de esta forma, pero no creo que sea para nosotros; después de todo, ¡yo no soy Pablo y tampoco tú! Además, debemos prevenir ser pequeños papas, los cuales ordenan gente alrededor y actúan como si supieran todo lo que haces y eres. Jesús es mi Señor y no quiero que nadie, incluyendo mi pastor y mi líder de estudio bíblico, se entrometan en mi vida, pretendiendo ser mi madre o padre espiritual. Si me preguntaras, simplemente te diría: eso es muy peligroso para mi". ¿Cómo presentaría la perspectiva bíblica de la paternidad espiritual a alguien que tiene estas ideas? ¿Qué hay de cierto en su análisis? ¿En qué exagera? ¿Cómo respondería a sus temores y reparos acerca del significado de discipular a los nuevos creyentes?

"El iglesismo no sirve".

Tal vez la mayor problemática de una visión que enfatiza la educación espiritual en la iglesia local, es en el enfoque de la necesidad de la iglesia por un crecimiento espiritual. Mucha gente en la actualidad tiene una relación con Dios a través de su vida devocional individual y las enseñanzas o eventos a los cuales se asocia. Muchos viajan de una iglesia a otra buscando "alimento espiritual", el cual reciben el domingo en la mañana, pero no forman parte de algún ambiente de educación espiritual. Algunos reciben el cuidado espiritual de un televangelista, o un predicador radial, no siendo miembros de alguna iglesia local, aunque sirven de diferentes formas. ¿Qué hace usted con este tipo de creyente anti-iglesia local, el cual prevalece en la actualidad? ¿Cuál es la raíz de este asunto? ¿Están ellos en lo correcto?, ¿es realmente necesario afiliarse a una iglesia local en particular, cuando la Palabra de Dios está disponible en CDs, radio, televisión y en variados eventos? ¿Es correcto decir que el *"iglesismo" no sirve*? (el "iglesismo" se refiere a un enfoque no sano sobre la necesidad de la iglesia local para lograr que el creyente crezca y dé fruto).

Como líderes cristianos, debemos hacer todo lo que podamos para incorporar rápidamente a los nuevos creyentes a la comunión del cuerpo de Cristo, creando un ambiente donde puedan ser recibidos y rápidamente integrados a la comunidad de la iglesia. Debemos, tan pronto como sea posible, asegurar su cuidado y protección en el cuerpo. Además, es necesario que los líderes cristianos ejerzan la paternidad espiritual de los creyentes nuevos e inmaduros. La mentoría espiritual ni señorea ni controla a los hijos que tiene bajo su cuidado, sino que les equipa a través del ejemplo personal y la enseñanza,

Reafirmación de la tesis de la lección

lo cual es suficiente para que vivan como discípulos de Cristo de forma madura y fructífera. Al igual que Pablo educó a los nuevos creyentes en la fe a través de su correspondencia personal, su intercesión por cada uno de ellos, su ejemplo personal, instrucción y sus representantes, podemos seguir su modelo al trabajar con los nuevos creyentes en el contexto de la Iglesia actual.

Recursos y bibliografía

Si está interesado en profundizar en algunos de los puntos acerca de la *Educación Cristiana Eficaz: Incorporando, Mentoreando y Discipulando,* le recomendamos los siguientes libros (algunos de estos títulos pueden estar disponibles en español, o revise nuestro portal en la red cibernética para recursos adicionales en español):

Eims, Leroy. *The Art of Disciplemaking.* Grand Rapids: Zondervan Books, 1978.

Henrichsen, Walter A. *Disciples are Made, Not Born.* Colorado Springs: ChariotView Publishing, 1988.

Moore, Wayon B. *New Testament Follow-up.* Grand Rapids: Eerdmans, 1963.

Ortiz, Juan Carlos. *Disciple.* Altamonte Springs, FL: Creation House, 1975.

Phillips, Keith. *The Making of A Disciple.* Old Tappan, NJ: Fleming H. Revell Co., 1981.

Conexiones ministeriales

Esta lección se enfoca en temáticas de gran importancia para el ministerio personal, nuestra habilidad de recibir y aceptar a los nuevos creyentes dentro del cuerpo de Cristo, proveerles ternura y cuidado amoroso, el mismo que tiene una madre cuando educa a su hijo o un padre cuando le protege. Todos los ministerios demandan esta clase de cuidado sacrificial y amoroso. Es tiempo de considerar su vida a la luz de este cuidado y servicio en amor. Conectar estos principios a su experiencia demandará una completa honestidad y sinceridad de su parte, dejando que el Espíritu Santo obre en su corazón y carácter. Ésta es su oportunidad de ir más allá del estudio bíblico y llevar estas temáticas a su vida personal y/o ministerio, considerándolo y aplicándolo en la semana. Examine su vida y ministerio delante del Señor. ¿Qué conceptos, de los estudiados aquí, le sugiere el Espíritu Santo, en lo que respecta a su desarrollo y crecimiento como líder cristiano? ¿Qué situación en particular viene a su mente al meditar en los principios incluidos en esta lección? ¿Hay alguien que necesite ser bienvenido, cuidado e incluido en su vida y ministerio? Esté abierto a la guía del Señor, conforme medita en Su presencia sobre estos temas de importancia para su vida y ministerio.

Una vez más, el poder de la oración es importante para el cuerpo de Cristo, y como ya hemos mencionado, puede apreciarse su importancia en el ejemplo de los apóstoles al desarrollar futuros líderes y constituir a los cristianos en la fe. Al igual que ellos, cada uno de nosotros necesita una intercesión fiel y una plegaria por las necesidades y desafíos que enfrentamos en la actualidad. No se avergüence de compartir sus peticiones personales con su mentor e instructor y con sus compañeros en clase. Debe estar listo para buscar apoyo en oración, a medida que busca responder a la guía e instrucción del Espíritu Santo para su vida.

Consejería y oración

ASIGNATURAS

2 Timoteo 2.1-2

Versículos para memorizar

Para prepararse para la clase, por favor visite www.tumi.org/libros para encontrar las lecturas asignadas de la próxima semana o pregunte a su mentor.

Lectura del texto asignado

Asegúrese de leer cuidadosamente el material asignado y memorice el pasaje de la Escritura para la semana. Como de costumbre, haga un breve resumen de su lectura y tráigalo a clase la próxima semana (por favor ver el "Reporte de lectura" al final de la lección).

Otras asignaturas o tareas

Es tiempo de que comience a pensar en el proyecto ministerial que habrá de conducir. De igual forma, debe decidir qué pasaje de la Escritura usará para su proyecto exegético. Un consejo: cuanto antes determine sus proyectos y los temas asociados con los mismos, más fácil será tenerlo pronto para la fecha de entrega. Por esta razón, no se demore en determinar su proyecto ministerial o exegético. ¡Cuanto antes los seleccione más tiempo tendrá para prepararlos!

Esperamos ansiosamente la próxima lección

Comenzamos nuestra investigación estudiando la naturaleza del liderazgo cristiano como la responsabilidad de representar a nuestro Señor y sus propósitos delante de Su pueblo, en adoración, Palabra y sacramentos. En esta lección, exploramos nuestra responsabilidad de incorporar a los nuevos creyentes a la Iglesia y proveerles cuidado y alimento como nuestros propios hijos espirituales.

En nuestra próxima lección, exploraremos la difícil pero necesaria temática de la disciplina en la Iglesia, cómo como líderes debemos tratar el pecado en el cuerpo y de qué manera podemos exhortar y desafiar a los miembros del cuerpo para asegurar su madurez contínua en Cristo. Observaremos cuidadosamente el papel de la exhortación bíblica, así como también, el bosquejo bíblico para la restauración del discípulo inconstante a una comunión con el Señor y Su pueblo.

2

Nombre_____

Fecha _____

Por cada lectura asignada, escriba un resumen corto (uno o dos párrafos) del punto central del autor (si se le pide otro material o lee material adicional, use el dorso de esta hoja).

Lectura 1

Título y autor: _____ páginas _____

Lectura 2

Título y autor: _____ páginas _____

LECCIÓN
3

Disciplina Eficaz de la Iglesia:
Exhortando, Reprendiendo y Restaurando

Objetivos de la lección

¡Bienvenidos en el poderoso nombre de Jesucristo! Después de su lectura, estudio, discusión y aplicación de los materiales en esta lección, usted podrá:

- Definir el concepto de la exhortación bíblica y explorar las razones por las cuales este ministerio es necesario para el liderazgo cristiano entre el pueblo de Dios.

- Distinguir la diferencia entre la posición y la condición del cristiano, y aplicar ese conocimiento en la exhortación cristiana.

- Conectar la práctica de la exhortación con el desafío a los creyentes a permanecer fieles al Señor en su caminar con Él, unos a otros y en el mundo.

- Enlistar las razones básicas de por qué exhortarnos unos a otros a permanecer fieles, considerando la oposición del diablo, la naturaleza de nuestra adopción en Cristo, evitar el juicio de Dios, mantener nuestra integridad y ser conformados al modelo de Cristo.

- Comprender los principios básicos asociados con la teología y la exhortación a otros en una forma que honre a Dios.

- Conocer las definiciones bíblicas básicas para la disciplina en la Iglesia y bosquejar la naturaleza de lo que significa la represión y la restauración de los miembros en la comunidad de Dios.

- Analizar Mateo 18 con la capacidad de entender las instrucciones de Jesús referentes a la implementación de la disciplina en la Iglesia.

- Bosquejar las precauciones cruciales que se deben tener al implementar la disciplina en la Iglesia, incluyendo el orgullo, las acusaciones no corroboradas y un descuido de la autoridad en disciplinar.

- Detallar los beneficios implícitos en disciplinar, incluyendo una fe sólida, una comunidad fuerte, una familia segura, un testimonio sólido y un Salvador glorificado.

3

Consolidando a sus hermanos

Lea Lucas 22.31-34. "Dijo también el Señor: Simón, Simón, he aquí Satanás os a pedido para zarandearos como a trigo; [32] pero yo he rogado por ti, que tu fe no falte; y tú, una vez vuelto, confirma a tus hermanos". [33]Él le dijo: Señor, dispuesto estoy a ir contigo no sólo a la cárcel, sino también a la muerte". [34] Y él le dijo: "Pedro, te digo que el gallo cantará hoy antes que tú niegues tres veces que me conoces".

¿Puede imaginarse en esta situación vergonzosa, angustiante y horrorosa, donde el Señor le dice que antes que el gallo cantase lo traicionaría? Debe entender que más allá del dolor que Pedro sufrió luego de negar al Señor, lo que más le pesaba era la culpabilidad y repugnancia que sentía hacia sí mismo, además de su terrible desesperación. Pero el Señor proveyó para la restauración de este traidor, el cual regresó como el gran apóstol. Jesús, sabiendo por lo que pasaba su discípulo, le instruyó en su camino luego de que Pedro fue restaurado de su terrible condición de culpabilidad y condenación. Jesús no sólo ratificó su traición, sino su regreso, es por este motivo que exhorta a Pedro diciendo "y una vez vuelto, confirma a tus hermanos". Jesus no colmó de condenación a Pedro, ni mantuvo la recriminación contra él. Además, rechazó la oportunidad de avergonzarle por su cobardía y engaño. Lo que sí hizo fue exhortarle al pedirle que *confirmase a sus hermanos*. Jesús es un claro y convincente ejemplo del poder y el significado de la restauración luego de la caída.

3

No debemos avergonzar, menospreciar, insultar o condenar a quienes disciplinamos. Más bien, el propósito de la restauración del hermano caído es que esta experiencia pueda fortalecerle para ayudar a los hermanos que están propensos a caer. Debemos ser conscientes que nuestro Sacerdote Supremo es alguien que simpatiza con las debilidades y tribulaciones de la gente, siendo nuestro abogado delante del Señor. El hombre o la mujer de Dios debe comprender el poder de restaurar y tener una gracia bondadosa con el fin de ser cortés. No estamos diciendo aquí que el líder cristiano deje de poner orden por considerar mal la maravillosa misericordia de Dios. Sino que cada líder cristiano debe conocer en su corazón la gracia y cuidado que Cristo tiene por él, con el propósito de que sea instrumento para obrar en otros.

No debería jamás dejar de asombrarnos la incomparable gracia de nuestro Señor resucitado, su bondad al cuidar de nosotros, incluso cuando no lo merecemos, y la restauración que ha hecho en nuestras vidas con el propósito de que seamos instrumentos afinados para cuidar de nuestros hermanos y hermanas, al igual que Él cuidó de nosotros. Semejante es el milagro de amor que Dios hizo a través de Jesucristo. *"Y tú, una vez vuelto, confirma a tus hermanos".*

El Credo Niceno y oración

Después de recitar y/o cantar El Credo Niceno (localizado en el apéndice), haga la siguiente oración:

Nunca pensaré que tengo el suficiente conocimiento como para no necesitar enseñanza, suficiente sabiduría como para no necesitar corrección, suficientes talentos como para no necesitar gracia, suficiente bondad como para no necesitar avanzar, suficiente humildad como para no necesitar arrepentimiento, suficiente devoción como para no necesitar avivamiento, la suficiente fuerza sin Tu Espíritu; no sea que me aferre a estas cosas y caiga para siempre.

~ Eric Milner-White, 1884-1964.
Appleton, George, ed. **The Oxford Book of Prayer**.
Oxford/New York: Oxford University Press, 1988. p. 121.

Prueba

Deje sus notas a un lado y haga un repaso de sus pensamientos y reflexiones. Tome la prueba de la lección 2, *Educación Cristiana Eficaz: Incorporando, Mentoreando y Discipulando.*

Revisión de los versículos memorizados

Revise con un compañero, escriba y/o recite el texto asignado para memorizar: 2 Timoteo 2.1-2.

Entrega de tareas

Entregue el resumen de la lectura asignada la semana pasada, es decir, su breve respuesta y explicación de los puntos más importantes del material de lectura (Reporte de lectura).

CONTACTO

"No ha demostrado que está arrepentido".

Todos hemos experimentado situaciones donde, después de haber hecho mal a alguien y pedir disculpas, ha habido un serio debate acerca de una genuina "actitud de arrepentimiento". Las opiniones, basadas en la Biblia, varían grandemente con respecto a lo que una persona restaurada debe hacer para "probar" que está arrepentida de lo que ha hecho. Algunos creen que el arrepentido debe restaurar y restituir completamente todo el mal que causó, otros declaran que es suficiente con disculparse verbalmente con el dañado. En su juicio, ¿qué debe hacer una persona para demostrar que está verdaderamente arrepentida por lo que ha hecho contra del Señor y otras personas, con el fin de restaurar lo que ha sido herido a través de sus acciones?

3

"¡Eso está yendo muy lejos!"

En un estudio bíblico para hombres en la iglesia, un grupo de hermanos está preocupado por el comportamiento y conducta de Larry, el cual también es miembro de la iglesia. La preocupación surge por el hábito de beber de este hermano. Nadie había mencionado en público cosa alguna acerca de esta situación, pero se discutía mucho sobre este tema tras bambalinas. Durante un estudio sobre el carácter de Cristo, uno de los hermanos mencionó a Larry (en público), exponiendo su preocupación por el mal hábito de este hermano. Aunque fue dicho en amor y verdad, Larry se ofendió profundamente a causa de este episodio y antes de dejar el cuarto (¡y la iglesia!) dijo, "¡ustedes son muy hipócritas! No me importa si hablan de religión, ustedes son metiches y se entrometen en mis asuntos privados, bueno, eso está yendo muy lejos!" ¿Estaba Larry en lo correcto?

Una vez que se ha ido, se ha ido para siempre

En una discusión en la Escuela Dominical sobre la naturaleza de "los cristianos que retroceden", una estimada hermana sugiere que una vez que alguien le da la espalda al Señor, no es posible que regrese. Así que abrió su Biblia a Hebreos 10 y dijo, "Escuchen lo que la Palabra dice en Hebreos 10.26-27: 'Porque si pecáremos voluntariamente después de haber recibido el conocimiento de la verdad, ya no queda más sacrificio por los pecados, [27] sino una horrenda expectación de juicio, y de hervor de fuego que ha de devorar a los adversarios'. ¿Ves? ¡Te lo dije! Este versículo dice que si continuamos pecando, ya no queda más sacrificio por los pecados, únicamente un temeroso juicio". Algunos creen que ella está interpretando correctamente el texto, mientras que otros sugieren que ella no lo está comprendiendo en forma apropiada. ¿Cómo entiende esto, e.d., la relación entre restauración y salvación eterna?

Disciplina Eficaz de la Iglesia: Exhortando, Reprendiendo y Restaurando

Segmento 1: La exhortación como un principio de disciplina bíblica

Rev. Dr. Don L. Davis

Resumen introductorio al segmento 1

El líder cristiano desafía al pueblo de Dios a permanecer fiel como discípulos de Jesucristo, exhortándolos a seguir el propósito de edificación. Esta exhortación debe ser humilde, con un deseo profundo de sanidad y restauración, edificada en la sabiduría del Espíritu y respaldada con el ejemplo personal.

Nuestro objetivo para este segmento, *Disciplina Eficaz de la Iglesia: La exhortación como un principio de disciplina bíblica,* es que vea que:

- El líder cristiano desafía al pueblo de Dios a permanecer fiel como discípulos en Jesucristo, exhortándolos a seguir el propósito de edificación.

- Esta exhortación debe ser humilde, respaldada por el ejemplo personal, dada con gracia, edificada sobre el fundamento de Cristo y la Escritura y comunicada a través de la sabiduría del Espíritu Santo.

- Si bien nuestra posición delante del Señor no corre peligro a causa de nuestra fe en Cristo, nuestro diario caminar con Él y con nuestros hermanos (nuestra condición) está sujeto a cambios dependiendo de nuestra obediencia a Dios. Debemos ser enseñables para que nuestro estado pueda alinear nuestra conducta con nuestra permanencia en Cristo.

- Debemos evitar los problemas relacionados con una exhortación pobre, con el orgullo, con la micro-gerencia y con el legalismo.

Video y bosquejo segmento 1

I. Exhortando a los creyentes en pro de su madurez cristiana

A. Definición: *el líder cristiano desafía al pueblo de Dios a permanecer fiel en su discipulado en Cristo Jesús, exhortándoles a seguir el propósito de la edificación.*

3

1. Desafiar al pueblo de Dios a permanecer fiel en su discipulado en Jesucristo: *el líder cristiano está encargado de amonestar, reprender y exhortar a los creyentes para que permanezcan fieles en el Señor.*

   a. Tito 2.11-15

   b. 1 Ti. 4.12

2. Exhortándoles a seguir el propósito de la edificación: *el líder cristiano no se enseñorea sobre otros, sino que les anima a cumplir sus responsabilidades cristianas.*

   a. 2 Ti. 4.2

   b. 1 Ts. 5.14

B. Las implicaciones de la exhortación bíblica

1. Ningún discípulo de Jesús puede vivir en este mundo sin pelear con el triple enemigo de los santos: el mundo, la carne y el diablo.

   a. El mundo: sistema *externo* de tentación y el engaño, 1 Juan 2.15-17

   b. La carne: naturaleza *interna* de pecado y rebelión la cual debe morir en Cristo, Ro. 6.1-11

La ausencia de la disciplina y los altos estándares de conducta en la iglesia indican que no estamos tomando muy seriamente la santidad. En nuestro discurso tratamos de "vender" la iglesia al mundo, transmitiendo la idea no bíblica de que el cristianismo es "divertido" y que todo pagano debería unirse al club para comenzar a vivir del lado soleado de la calle.
~ W. W. Wiersbe. *Be Holy.* (Electronic ed.) Wheaton, IL: Victor Books, 1996.

3

c. El diablo: enemigo *infernal* que engaña al mundo entero y busca desviar a los creyentes que no están alertas, ni preparados para sus tácticas, comp. 1 Juan 5.19; Ap. 12.10; 1 Pe. 5.8-9

2. La vida cristiana no es una carrera de cien yardas, sino una maratón: una corona de vida le es dada a aquellos que resisten las pruebas, las cuales vendrán inevitablemente a cada discípulo, Santiago 1.12.

3. Dios ha dado líderes a la Iglesia, para amonestar, reprender y exhortar a los creyentes a que permanezcan en la promesa del Reino, Tito 2.15.

II. Por qué son necesarias la exhortación y la disciplina espiritual: La realidad de retroceder

A. El diablo tienta y engaña a los creyentes para que le den la espalda a la verdad y vuelvan a sus antiguos caminos.

1. El diablo persigue a los creyentes para destruir su fe y testimonio delante de Dios, 1 Pe. 5.8-9.

2. Podemos resistir los planes del diablo con la armadura de Dios, Ef. 6.11.

3. Los creyentes están para resistir las mentiras y los planes del diablo, Santiago 4.7.

B. La disciplina confirma su llamado como hijo de Dios (nuestra identidad como pueblo de Dios).

3

1. Cristo disciplina a todos aquellos que ama, Ap. 3.19.

2. La disciplina muestra la conexión paternal, Heb. 12.5-11.

C. Sin la misma, las personas que vuelven atrás sufren horribles consecuencias.

1. Pr. 14.14

2. Jer. 10.24

3. Gál. 6.7-8

D. Mantiene nuestra integridad como pueblo de Dios ("dentro y fuera").

1. Aquellos que pertenecen al Señor permanecen en el Señor, 1 Juan 2.19.

2. El Señor conoce aquellos que son verdaderamente de Él, 2 Ti. 2.19.

E. Es posible restaurar a aquellos que le han dado la espalda al Señor.

1. Jer. 3.11-12

2. Jer. 3.14

3. Jer. 3.22

3

F. Nos permite compartir el proceso que Jesús soportó.

    1. Heb. 5.7-9

    2. Juan 15.10

III. Posición vs. condición: El dilema de retroceder en el NT

A. La permanencia y posición espiritual: *la posición del creyente en el NT es segura y constante.*

    1. Un creyente está "en Cristo", es decir, anclado en la inmutable, máxima y perfecta obra de Jesús por el mismo.

        a. Somos salvos de la ira de Dios, Ro. 5.9-10.

        b. Ro. 8.1

        c. Gál. 3.13

    2. Esta posición está segura en el cristiano por su *fe en Jesucristo.*

        a. Juan 1.12-13

        b. Ro. 5.1-2

3

    c.   Ro. 8.16

    d.   Ef. 1.3

    e.   Col. 2.9

    f.   Heb. 10.10, 14

3.   Aquellos que auténticamente pertenecen a Cristo, están seguros de su posición delante de Él.

    a.   Tienen vida eterna, Juan 5.24.

    b.   No se pueden perder si están de la mano de Jesús, Juan 10.27-30.

    c.   Su salvación no depende de lo que hagan, Ef. 2.8-9.

    d.   Nada puede separarlos del amor de Dios en Cristo Jesús, Ro. 8.38-39.

4.   Por ejemplo: la alta permanencia y *posición exaltada* de los Corintios, 1 Co. 1.2-9

B. Estado y condición espiritual: *la condición de un cristiano puede cambiar dependiendo de su disponibilidad y obediencia a Dios.*

3

1. Si fallamos en caminar en la luz, perderemos la comunión con el Padre a través del Hijo, 1 Juan 1.6-8.

2. Volver atrás implica no sólo un cambio de relacionamiento con el Señor, sino que acarrea miseria y confusión en la persona.

    a. 1 Co. 3.18

    b. Gál. 6.3

    c. Santiago 1.26

3. El pecado sin restricción y arrepentimiento puede acarrear la disciplina directa de Dios y el escarmiento del creyente.

    a. Heb. 12.6

    b. 1 Co. 11.31-32

4. Vivir en pecado sin arrepentirse puede acarrear la pérdida de recompensas y comunión del creyente.

    a. 2 Co. 5.9-10

    b. 1 Juan 2.28

    c. 1 Juan 3.19-21

3

5. En casos extremos, Dios puede dar una enfermedad o aun la muerte (para que el creyente no sufra condenación).

   a. Sufrimiento de juicio y enfermedad, 1 Co. 11.28-32

   b. Sufrimiento de muerte prematura

      (1) 1 Co. 5.5

      (2) 1 Juan 5.16

6. Por ejemplo: la posición inmutable y la *condición variable* de los Corintios

   a. 1 Co. 1.11

   b. 1 Co. 3.1-4

   c. 1 Co. 4.18

   d. 1 Co. 5.2

C. Exhortar a aquellos que han retrocedido

   1. ¿Qué tipo de cosas pueden causar que una persona le dé la espalda a Dios y a su llamado?

a. Apostasía espiritual

(1) 2 Ts. 2.3

(2) 1 Ti. 4.1

(3) 2 Ti. 3.1

(4) 2 Pe. 3.3

(5) Judas 1.4

b. Degradación moral, 1 Co. 3.1-3

c. Error doctrinal, Ef. 4.13-14

2. ¿Puede ser restaurado otra vez si ha retrocedido?

a. Pr. 28.13

b. 1 Juan 1.9

3. ¿Existe un tipo de retroceder que sea completo?

a. Algunos textos que mencionan la naturaleza de alguien que ha retrocedido describen una completa pérdida de la salvación

(1) Heb. 6.4-6

(2) Heb. 10.26-31

(3) Heb. 10.38-39

b. El problema con este punto de vista

      (1) Tal punto de vista contradice la idea bíblica que Dios nos perdonará y limpiará de toda injusticia si confesamos nuestro pecado delante de él, comp. 1 Juan 1.7-10.

      (2) Si es posible perder la salvación, ninguno de estos textos dice que no puede ser restaurada nuevamente a través del arrepentimiento.

      (3) Es muy fácil juzgar el estado eterno de una persona delante de Dios, basándonos en cómo se comportó durante la última semana; esto no es sabio, comp. 2 Co. 10.12.

IV. El líder cristiano es alguien que exhorta al caído.

  A. Propósito de la exhortación: edificación

    1. Para edificar al pueblo de Dios en Jesucristo: *madurez,* Ef. 4.15-16

    2. Para ver a los hijos de Dios llevar fruto en buenas obras y evangelización: *fructificar,* Ef. 2.10; Mt. 5.14-16; Fil. 2.12-13

  B. Principios de exhortación

    1. Respaldado por el *ejemplo personal,* 1 Co. 11.1

    2. Hecho con gracia y sensibilidad para *edificar, no para derribar,* 2 Co. 13.8

    3. Edificar sobre el *fundamento de Cristo y la Palabra de Dios,* 2 Ti. 3.15-17

3

4. Basado en la *sabiduría espiritual y el entendimiento del Espíritu Santo*, Gál. 5.16; Ef. 5.18

C. Problemas con la exhortación antibíblica

    1. Exhortar con *orgullo personal para ganar lugar y posición*

        a. 1 Co. 3.5

        b. 1 Co. 3.7

        c. 2 Co. 4.5

        d. 2 Co. 6.4

    2. Exhortar como una forma de *micro-gerenciar las vidas de los creyentes*, Mt. 23.2-4

    3. Exhortar como una forma de *intromisión legalista en los asuntos de otros (señoreando sobre otros)*

        a. 2 Co. 1.24

        b. 1 Pe. 5.2-3

3

D. Practicando la exhortación cristiana

1. Escuche al Espíritu Santo; ofrezca consejo y respuestas basándose en los claros estándares de la Escritura y no en sus ideas o intuiciones, Gál. 5.16-24.

2. No debe especular sobre el estado de salvación del ofensor, Dios determina quién le pertenece (no nosotros).

    a. 2 Ti. 2.19

    b. Sal. 1.6

    c. 1 Co. 8.3

    d. Ro. 8.28

3. Obtenga información precisa cuando exhorte acerca de situaciones en particular, 2 Co. 13.1.

4. Deje que sus palabras sean pocas y "sazonadas con sal" (escogidas y habladas cuidadosamente), Ef. 4.29-30.

5. Sea consciente del propósito de la exhortación: animar y desafiar para la edificación, Santiago 5.19-20.

6. Desafíe a los creyentes que han retrocedido a que comprueben que pertenecen al Señor, no simplemente en profesión sino en expresión.

   a. 2 Co. 13.5

   b. Gál. 6.4

   c. 2 Pe. 1.10-11

7. Haga todas las cosas en un espíritu de mansedumbre y temor, considerándose a sí mismo y sus debilidades.

   a. Gál. 6.1-3

   b. Mt. 7.1-5

8. Cubra toda exhortación con oración, buscando la sabiduría de Dios en cada paso, buscando desafiar al individuo con la Palabra de Dios, Santiago 5.16-18.

3

Conclusión

» La Escritura nos enseña que cada uno de nosotros debe estar abierto y sujeto a la exhortación bíblica para ser edificados en Cristo.

» Debido a que vivimos en un mundo lleno de tentaciones, presión carnal y engaño demoníaco, todos los creyentes son tentados a regresar a sus antiguos caminos, alejándose así de Dios.

» Dios ha provisto a su pueblo con un liderazgo lleno del Espíritu, con el propósito de proteger y vigilar a su pueblo, exhortándoles a ser fieles a su llamado.

Aparte un tiempo para responder éstas y otras preguntas que el video formula. El concepto de la exhortación y la disciplina espiritual requiere un cuidadoso entendimiento, basado en la Escritura para que sea exacto y verdadero. Tratar con las asperezas de la vida cristiana es un don importante y valioso para el líder cristiano de la ciudad. Por tanto, mientras expresa sus pensamientos con respecto a esta enseñanza, formule sus respuestas a las preguntas a continuación, de forma clara y concisa. Nuevamente, procure que sus respuestas estén respaldadas escrituralmente. La Palabra de Dios es la evidencia más autoritaria en éstos y otros conceptos relacionados con la madurez cristiana.

1. ¿Cuál es la definición de exhortación? ¿Qué relación tiene la responsabilidad del líder cristiano de exhortar a los creyentes con la necesidad de que los mismos sean edificados en Cristo? Explique.

2. ¿Por qué no debemos asociar la exhortación con el señorear sobre otros e involucrarnos demasiado en los asuntos personales de alguien? ¿Por qué nuestro entendimiento acerca de la influencia del mundo, la naturaleza pecaminosa y el diablo, hacen que la exhortación bíblica sea algo deseable y parte importante en el liderazgo cristiano?

3. Haga una lista de tres razones por las cuales la exhortación y la disciplina espiritual son necesarias para el bienestar y crecimiento de los cristianos. ¿Cuál de éstas le convence más?

4. ¿Cuál es la definición de la "posición delante de Dios" de un cristiano? ¿Cuál es la definición de la "condición en el mundo" de un cristiano? ¿Cómo entendemos la relación entre ambas?

5. ¿Por qué razón es fundamental no emitir juicio sobre un pecado no comprobado, ni en nuestras vidas ni en las vidas de aquellos que debemos proteger y servir? ¿Cuáles son las consecuencias de permanecer en inmoralidad y pecado sin recibir confrontación ni corrección?

6. ¿Qué cosas tientan al cristiano para que le dé la espalda a Dios y a su Reino? ¿Puede un cristiano ser restaurado si ha retrocedido? Explique su respuesta.

7. ¿Es posible que alguien que profesa ser cristiano dé la espalda al Señor y que por consecuencia pierda la salvación que una vez tuvo en Cristo? Explique su respuesta.

8. ¿Cuál es el propósito de la exhortación y cuáles son los conceptos principales asociados a la misma? ¿Qué problemas generaría exhortar a alguien de forma antibíblica?

9. ¿Qué enseñanzas debemos usar para exhortar a otros a permanecer fieles a Cristo y lograr la madurez que Él desea y demandas de nosotros como discípulos suyos?

Disciplina Eficaz de la Iglesia: Exhortando, Reprendiendo y Restaurando

Segmento 2: Practicando disciplina en la iglesia: Reprendiendo y restaurando

Rev. Dr. Don L. Davis

Resumen introductorio al segmento 2

El líder cristiano está encargado de disciplinar a los miembros del pueblo de Dios que han retrocedido o que se han alejados, con el propósito de restaurarles a una comunión completa en el cuerpo. Toda disciplina espiritual es un asunto familiar y tiene un propósito correctivo, el de restaurar al caído y hacer que vuelva a la membresía del cuerpo de Cristo.

Nuestro objetivo para el segundo segmento: *Disciplina Eficaz de la Iglesia: Exhortando, Reprendiendo y Restaurando* es que vea que:

- El líder cristiano está encargado de guiar el proceso de la disciplina a los miembros del pueblo de Dios que han retrocedido o se han alejado, con el propósito de restaurarles a una comunión completa en el cuerpo.

- La disciplina es la manera que Dios tiene para proteger a su pueblo, restaurando al caído a una comunión completa; por esta razón nunca debe ser utilizada para avergonzar, condenar o culpar a otros.

- La condenación no tiene conexión con la disciplina; la disciplina es para restaurar al cristiano a la comunión con Dios y la iglesia, debido a que su *condición o estado* ha caído momentáneamente en el pecado.

- La disciplina le ha sido dada a la iglesia para prevenir el pecado, para corregir un problema existente, para vindicar a una persona erróneamente acusada y para instruir a la iglesia en las características de la santidad de Dios.

3

- Mateo 18 nos provee claramente el procedimiento que los creyentes deben tomar al confrontarse con una situación seria (e.d., donde es necesario que la sana doctrina quede definida, la santidad del cristiano se afirme y se demuestre la integridad de Cristo).

- Al practicar la disciplina espiritual, debemos estar atentos a no caer en el orgullo ni en juicios apresurados, es por eso que debemos verificar todas las acusaciones por lo menos por boca de dos o tres testigos y ejercer la autoridad pastoral en los casos más serios.

I. Practicando la disciplina en la iglesia: Reprendiendo y restaurando al alejado en el pueblo de Dios

Video y bosquejo segmento 2

A. Definición: *el líder cristiano debe conducir un proceso que sirva de guía para disciplinar a los creyentes que se han apartado o alejado del pueblo de Dios, con el propósito de restaurarlos una membresía completa.*

1. Encargado de disciplinar al creyente que ha retrocedido o se ha alejado: *el líder cristiano tiene el papel de amonestar, reprender y exhortar con autoridad con el propósito de asegurar una fe sana y una iglesia fuerte y saludable.*

   a. Tito 2.11-15

   b. 2 Ti. 4.2

   c. Heb. 3.13

El asunto del perdón y la disciplina es común en la iglesia: "Pero como es ahora nuestro propósito el discurso de la iglesia visible, aprendamos de su título particular de Madre, qué tan útil, o más bien, qué tan necesario es su conocimiento, ya que no hay otro medio de entrar a la vida a menos que ella nos conciba en el vientre y nos dé a luz, a menos que nos amamante, y en resumen, nos mantenga bajo su responsabilidad y gobierno, hasta que, despojándonos de la carne mortal, lleguemos a ser como los ángeles (Mt. 22.30). Por nuestra debilidad no nos permitas dejar la escuela hasta que hayamos invertido nuestras vidas como estudiantes. Además, más allá de la iglesia no hay esperanza de perdón de pecados, ni de salvación, como Isaías y Joel testifican (Is. 37.32; Joel 2.32)".
~ Juan Calvino. Institución de la Religion Cristiana. Translation of *Institutio Christianae Religionis*. Originally published: Edinburgh: Calvin Translation Society, 1845-1846. (IV, I, 4). Oak Harbor, WA: Logos Research Systems, Inc., 1997.

2. Restaurarles a una membresía completa: *toda disciplina tiene el propósito único de edificar y restaurar (el líder no tiene autoridad para dañar a un miembro de la familia de Dios).*

    a. 2 Co. 13.8-10

    b. 2 Co. 10.8

B. Implicaciones para el líder cristiano

1. Dios es santo y demanda un estilo de vida de santidad para todo Su pueblo, 1 Pe. 1.14-17.

2. La disciplina es la manera en la que Dios protege a Su pueblo y restaura a aquellos que deciden regresar al señorío de Cristo, luego que le han dado la espalda, Heb. 12.6.

3. Los líderes deben aprender la disciplina bíblica como parte de su responsabilidad para pastorear al rebaño.

II. La naturaleza de la disciplina bíblica en la iglesia

A. La disciplina es un asunto familiar

1. Definición de disciplina: (*paideuo*)= griego, "instruir, entrenar o corregir"

3

2. La disciplina tiene que ver con la *condición* (estado) de alguien delante de Dios como Su hijo y no con la *posición* (permanencia) como creyente.

3. El Padre celestial disciplina a aquellos que le pertenecen, 1 Co. 11.31-32.

4. Esta disciplina o corrección es dada únicamente a aquellos que son hijos de Dios, Heb. 12.6.

5. La condenación no tiene conexión con la disciplina; la misma existe para corregir al creyente desviado, no para *condenar*.

    a. No hay condenación para los que están en Cristo Jesús, Ro. 8.1.

    b. Aquellos que ponen su fe en Cristo Jesús no serán juzgados para condenación, 1 Juan 3

B. La disciplina tiene un propósito correctivo.

1. *Previene* problemas: Dios se mueve en la vida del discípulo para prevenir errores morales y/o espirituales (como el aguijón en la carne de Pablo), comp. 2 Co. 12.7-9.

2. Es dada para *corregir* un problema ya existente: Ap. 3.19; Heb. 12.6.

    a. Al tratar la *impureza moral*: quienes se involucran en un pecado moral sin señal de arrepentimiento o cambio

b. Al enfrentar los *errores doctrinales*: quienes creen y enseñan cosas contrarias a la doctrina de Jesucristo

c. Al confrontar la *rebelión espiritual*: quienes viven en desobediencia y estilos de vida que traspasan los mandamientos de Dios

d. Al enfrentar la *división en las relaciones:* quienes viven en división y discordia con otros miembros del cuerpo.

3. Para *vindicar* la persona de Dios (la acusación de Satanás contra Dios como en el caso de Job), Job 1.

4. Nos *instruye* en la santidad de Dios, Heb. 12.11.

5. La disciplina en el Antiguo Testamento nos da a entender las distintas maneras en las cuales Dios la ejerce en nuestras vidas.

a. Vagar en el desierto fue duro y doloroso, pero en medio de eso Dios proveyó para todas las necesidades de su pueblo, enseñándoles así la importancia de su Palabra, Dt. 2.7; 8.4.

b. Dios ordenó que su pueblo "circuncidara su corazón y no endurezcáis nunca más", Dt. 10.12-22.

c. La cautividad de Israel por Asiria fue el juicio que Dios utilizó para demostrar su santidad; aunque éste no los guiaría a una destrucción final, la disciplina fue importante para revelar al pueblo de Israel quién era su Dios, Oseas. 12.2.

3

III. Un procedimiento bíblico para disciplinar en la iglesia

A. Qué hace necesaria la disciplina

1. La necesidad de proteger y mantener una sana doctrina respecto a Cristo y su Reino

   a. Tito 1.13

   b. 1 Ti. 1.3

2. Proteger la integridad de la Cena del Señor, 1 Co. 11.34

3. Reprender a aquellos que persisten en pecar en la compañía de creyentes

   a. 1 Ti. 5.20

   b. 2 Ti. 4.2

4. Llamar la atención a aquellos cuyos estilos de vida y acciones blasfeman el nombre de Jesucristo

   a. 1 Co. 5.3-5

   b. 1 Co. 5.13

   c. 1 Ti. 1.20

Debemos tener siempre claro que el contexto de este pasaje sobre la disciplina de la iglesia habla sobre la misericordia y el perdón; el perdón califica (pero no anula) la fuerza de este pasaje en lo que concierne a disciplinar al ofensor no arrepentido en la comunidad cristiana. El énfasis contextual es la esperanza de restaurar del error, no tratar el mismo como algo irreparable por el cual debemos culpar al otro.
~ Charles S. Keener. *The IVP Bible Background Commentary*. (Comment on New Testament, Matt. 18.15). (Electronic ed.) Downers Grove, IL: InterVarsity Press, 1993.

B. Mateo 18: procedimiento bíblico para ejercer la disciplina en la iglesia

Mt. 18.15-20 - Por tanto, si tu hermano peca contra ti, ve y repréndele estando tú y él solos; si te oyere, has ganado a tu hermano. [16] Mas si no te oyere toma aún contigo a uno o dos, para que en boca de dos o tres testigos conste toda palabra. [17] Si no los oyere a ellos, dilo a la iglesia; y si no oyere a la iglesia, tenle por gentil y publicano. [18] De cierto os digo que todo lo que atéis en la tierra, será atado en el cielo; y todo lo que desatéis en la tierra, será desatado en el cielo. [19] Otra vez os digo, que si dos de vosotros se pusieren de acuerdo en la tierra acerca de cualquiera cosa que pidieren, les será hecho por mi Padre que está en los cielos. [20] Porque donde están dos o tres congregados en mi nombre, allí estoy yo en medio de ellos.

1. El pecado debe ser resuelto en forma privada y confidencial, siempre y cuando esto sea posible, Mt. 18.15.

2. Si el ofensor no responde al primer llamado de atención, debemos tomar una o dos personas como testigos, Mt. 18.16.

    a. Nm. 35.30

    b. Dt. 17.6

    c. Dt. 19.15

    d. Juan 8.17

    e. 2 Co. 13.1

    f. 1 Ti. 5.19

3. Si el ofensor no escuchara a los testigos, deberá ser llevado a la iglesia y si en última instancia, rehúsa escuchar a la iglesia, deberá ser tratado como extraño (como un gentil y un recaudador de impuestos).

   a. El proceso está basado en la *habilidad o incapacidad del ofensor de responder a la verdad*, Mt. 18.17.

   b. La decisión de la iglesia será final hasta que tal decisión sea rescindida o formalmente abolida, porque el ofensor se ha arrepentido, Mt. 18.18.

4. Los líderes deben establecer y supervisar este proceso en nombre de la iglesia.

   a. Respaldo bíblico para la participación de parte del liderazgo en la disciplina

      (1) Heb. 13.17

      (2) Mt. 16.19

      (3) 1 Ti. 5.19

   b. Los líderes deben *procurar resolver y atender todos los asuntos, y aplicar la disciplina pertinente* a cada situación en donde sea necesaria.

   c. Los líderes *deben representar el estándar de Dios,* afirmando la verdad bíblica respecto a la ofensa.

   d. Los líderes deben *guiar el proceso de restauración del ofensor, integrando al mismo a la familia de Dios.*

5. La restauración es posible si el ofensor se arrepiente y se vuelve de su transgresión.

    a. Gál. 6.1-2

    b. Santiago 5.19-20

C. Ejemplo de disciplina bíblica: el problema sexual de Corintios

1. La ofensa: *inmoralidad sexual*, 1 Co. 5.1-5

2. La restauración: *la súplica de Pablo por la restauración del ofensor arrepentido*, 2 Co. 2.6-11

3. El propósito de la disciplina: *que el ofensor se entristezca para guiarle a la restauración*, 2 Co. 7.10

IV. Advertencias y precauciones en la disciplina de la iglesia

A. Tenga cuidado con el orgullo y los prejuicios, Gál. 6.1-4.

1. Es un proceso para aquellos que están espiritualmente preparados.

2. El proceso no debe permitir una pizca de maldad, ni un espíritu de crueldad, ni orgullo.

La iglesia no puede existir si no ejerce su responsabilidad de disciplinar amorosamente pero firmemente a sus miembros, incluyendo la posibilidad de excluir de la comunión a aquellos que no se arrepienten de la inmoralidad (1 Co. 5.1–13) o se aferran a una falsa doctrina (2 Ts. 3.14; 2 Juan 10). Toda disciplina debe ser hecha en un espíritu de mansedumbre y temor, y siempre debe tener el propósito de restaurar al ofensor a una completa comunión, (Gál. 6.1-2).

3

3. En toda disciplina, todas las partes deben *tener cautela* para no fallar y caer; no debe existir la actitud de "yo soy más santo que tú".

B. Confirmar todos los juicios y acusaciones por boca de dos o tres testigos, 1 Ti. 5.19; 2 Co. 13.1.

    1. Ningún juicio debe ser hecho en base a rumores o apariencias, Juan 7.24.

    2. Injusticia y juicios injustos son abominación para el Señor; es importante que conozca lo sucedido claramente *antes de atreverse a considerar* juicios contra los demás, Pr. 17.15.

    3. Cualquier tipo de parcialidad viola las leyes de Dios y Su reino de justicia.

        a. Santiago 2.1

        b. Santiago 2.9

C. Ejerza la autoridad pastoral a través del proceso de disciplina, Heb. 13.17.

    1. No dude en representar al Señor y su Palabra con poder y claridad en asuntos donde la verdad debe ser aclarada y reafirmada, 2 Ti. 4.2.

    2. Tenga cuidado en cómo maneja el asunto, sea claro, firme y justo (imparcial), 1 Ti. 5.19-21.

3

¿Podemos realmente excluir a los creyentes de nuestra comunidad?
"La noción de la exclusión (excomulgación o disciplina de la Iglesia) es vista solamente en 1 Corintios 5, donde se expresa en cinco diferentes maneras, usando el verbo 'quitar', 'hacer salir', '(no) comer con', 'entregarlo (a Satanás)' y 'para purificar'. Sin embargo, el tema genera dudas sobre las motivaciones para esta acción drástica, en la cual este pasaje no nos es de ayuda. El hecho de que la gente debe ser disciplinada es menos instructivo que las razones para el juicio. En la Biblia, serios ofensores son excluidos de la comunión para mantener la santidad del grupo, debido a una ruptura del pacto, en la esperanza de la restauración y la posibilidad de salvación".
~ T. D. Alexander.
New Dictionary of Biblical Theology (Electronic ed.). Downers Grove: InterVarsity Press, 2001.

3. Nunca pierda de vista el *propósito* de toda disciplina: solidez en la fe y madurez en Jesucristo.

    a. Col. 1.28

    b. Tito 1.13

    c. Tito 2.15

D. Las bendiciones de la disciplina y la restauración

    1. Una fe sana: *la disciplina dejará en claro que la herejía y el error no son tolerados entre el pueblo de Dios.*

    2. Una comunidad fuerte: *la disciplina fortalecerá la decisión del cuerpo de levantarse a favor de aquello que glorifica y honra a Dios según Su Palabra.*

    3. Una familia segura: *la disciplina protegerá a los miembros de los "lobos vestidos de ovejas" que buscan cazar a los miembros de la comunidad.*

    4. Un testimonio sólido: *la disciplina edificará un sentido de reputación que indica la integridad de la comunidad (creemos ciertas cosas y estamos dispuestos a vivir según nuestras creencias).*

    5. Un Salvador glorificado y regocijado: *la disciplina manejará con gracia y misericordia asuntos delicados y difíciles cuando los líderes espirituales y piadosos guían este proceso con sensibilidad y apertura hacia Dios el Espíritu Santo y la verdad.*

3

Conclusión

»   Como líderes cristianos debemos reconocer que Dios nos ha hecho sus representantes con el propósito de que ayudemos a su pueblo a través de un proceso imparcial y justo, restaurando al ofensor para que tenga una completa participación en el cuerpo de Cristo.

»   La práctica de la disciplina bíblica está basada en una fe sólida y una comunidad cristiana fuerte, que honra a su Señor.

Las siguientes preguntas están diseñadas para que repase el material del video del segundo segmento. Hoy día, muchas iglesias y sus líderes evitan cualquier situación que implique disciplina en la iglesia, hasta que, desafortunadamente, son forzados a la división, los pleitos y los escándalos para poder dirigir la misma. Ningún líder cristiano puede ser eficaz si no concentra sus energías y su atención en comprender las ordenanzas de Cristo sobre este tema y aplica, de forma cuidadosa y cariñosa, estos principios a las situaciones que enfrenta en la iglesia. Por eso, es necesario en el contexto de la iglesia urbana, dominar estos principios basándonos en la Escritura. Mientras discute las preguntas con sus compañeros, no dude en replantearse la situación que enfrenta en su iglesia y comunidad.

Seguimiento 2

Preguntas y reflexión acerca del contenido del video

1.   ¿Cual es la responsabilidad del líder cristiano para con el miembro que ha retrocedido o se ha alejado del cuerpo de Cristo? ¿Por qué todo ejercicio de autoridad, en lo que respecta a disciplinar, es hecho únicamente con el propósito de edificar a otros, no derribarlos?

2.   ¿En qué aspecto podemos decir que la disciplina es "la forma que Dios usa para proteger a Su pueblo y restaurar a aquellos que desean regresar a la obediencia y señorío de Cristo luego de haber retrocedido"? ¿Cómo han sido llamados los miembros del cuerpo de Cristo a participar en la restauración y disciplina? Explique su respuesta.

3.   ¿Cuál es la relación entre la disciplina espiritual y la permanencia como hijo o hija de Dios? ¿Puede alguien ser hijo o hija de Dios y nunca haber sido castigado o disciplinado?

4.   Enliste las diferentes maneras por la cuales ejercer la disciplina bíblica tiene un propósito correctivo ¿Cómo éstas maneras influyen en la comunidad y la iglesia urbana?

5. De acuerdo a la Escritura, ¿por qué la disciplina es una medida necesaria e importante en el caminar cristiano? ¿Qué papel juega la actitud personal en estar abierto(a) a aprender de otros en cuanto a nuestra vida y la necesidad de crecer en la vida cristiana?

6. ¿Cómo indica Mateo 18 que se debe tratar el pecado en la iglesia con privacidad y confidencialidad? ¿Por qué es importante buscar que todas las cosas sean hechas para edificación?

7. ¿Por qué debemos rechazar que acusen a alguien sin el respaldo de dos o tres testigos? ¿Cómo fue aplicado este principio en el Antiguo Testamento?

8. Si un ofensor rehúsa corregirse después de recibir la súplica de dos o tres testigos, ¿cómo debe actuar la iglesia? ¿Por qué es importante que el líder se involucre en esta última etapa, donde la iglesia trata al ofensor como a un "incrédulo"? Explique.

9. ¿Qué principios podemos aprender del apóstol Pablo acerca de la disciplina y su exhortación a la iglesia en Corinto? ¿Cuáles son las precauciones que debemos tomar en el proceso de disciplina en el cuerpo?

10. ¿Cuales son algunos de los beneficios de ejercer la disciplina espiritual y piadosa en el cuerpo? ¿Cuáles son las implicaciones de ejercitar una mala disciplina en la iglesia?

CONEXIÓN

Resumen de conceptos importantes

Esta lección tiene como objetivo que el líder cristiano reconozca su responsabilidad en guiar al cuerpo de Cristo a través de la restauración y la disciplina, restaurando al ofensor y edificando al cuerpo. La práctica de la exhortación cristiana, aunque es asignada a cada uno en el cuerpo de Cristo, es de especial importancia para el líder cristiano (comp. Tito 2.15 - Declara estas cosas; exhorta y reprende con toda autoridad. Nadie te menosprecie). El reto de "exhortar y reprender con toda autoridad" no es una licencia que nos habilita a tener un control cruel sobre la comunidad, sino que debe impulsarnos a un cuidado cariñoso y sabio del pueblo de Dios, el cual necesita ser beneficiado con consejos sabios y piadosos y el cuidado que el líder provee. En la lista que veremos a continuación repasaremos algunos de los conceptos más importantes de la lección en lo concerniente a la exhortación y la disciplina cristiana.

- El líder cristiano desafía al pueblo de Dios a permanecer fiel en su discipulado en Jesucristo, exhortándole a seguir el propósito de edificación.

- La exhortación piadosa está amparada por el ejemplo personal, dada con gracia, basada en el fundamento de Cristo y la Escritura, y respaldada con la satiduría del Espíritu Santo.

- Si bien nuestra posición delante del Señor (nuestro permanecer) no corre peligro a causa de nuestra fe, nuestro diario caminar con Él y con nuestros hermanos (nuestra condición) está sujeto a cambios dependiendo de nuestra obediencia a Dios. Debemos ser enseñables para que nuestra condición sea coherente con nuestra posición en Cristo.

- Debemos evitar problemas asociados con una exhortación pobre, problemas de orgullo, la micro-gerencia y el legalismo.

- El líder cristiano está encargado de guiar el proceso de disciplina a los miembros del pueblo de Dios que han retrocedido o se han alejado, con el propósito de restaurarles a una comunión completa en el cuerpo.

- La disciplina es la manera que Dios tiene para proteger a Su pueblo, restaurando al caído a una comunión completa; por esta razón nunca debe ser utilizada para avergonzar, condenar o culpar a otros.

- La condenación no tiene conexión con la disciplina; la disciplina es para restaurar al cristiano a la comunión con Dios y la iglesia, a causa de que *su condición o estado* ha caído momentáneamente en pecado.

- La iglesia es disciplinada para prevenir el pecado, para corregir un pecado existente, para vindicar a una persona erróneamente acusada y para instruir a la iglesia en las características de la santidad de Dios.

- Mateo 18 nos provee claramente el procedimiento que los creyentes deben tomar al confrontarse con una situación seria (e.d., donde sea necesario que la sana doctrina quede definida, la santidad del cristiano se afirme y se demuestre la integridad de Cristo).

- Al practicar la disciplina espiritual, debemos estar atentos para no caer en el orgullo ni en los prejuicios, es por eso que debemos verificar todas las acusaciones por lo menos de la boca de dos o tres testigos y ejercer la autoridad pastoral en los casos más serios.

3

Aplicación del estudiante

Es tiempo de discutir con sus compañeros las preguntas acerca de la práctica de la exhortación cristiana. La necesidad de disciplinar y exhortar a otros a seguir las ordenanzas y promesas de nuestro Señor, utilizando lo aprendido en las lecciones previas. Cada aspecto del liderazgo cristiano (incluyendo el papel como representante de Dios, aquel que guía al pueblo de Dios, en la adoración, la Palabra y los sacramentos; e incorpora y mentorea espiritualmente a los nuevos creyentes), requiere de alguien que no tenga temor de disciplinar a través de la Palabra y el ejemplo al pueblo de Dios para que el mismo cumpla Sus mandamientos.

Debe ser transparente y considerar cuidadosamente su llamado y disponibilidad para exhortar a otros a que cumplan el sublime propósito de Cristo en sus vidas. Debemos comenzar, como siempre, con nuestras propias vidas. A la luz de los conceptos estudiados, ¿cuáles son las preguntas con respecto a su llamado a exhortar y ejercer la autoridad de Dios en el cuerpo de Cristo? Tal vez alguna de las preguntas a continuación le ayude a comprender mejor su llamado y papel en el liderazgo cristiano.

* ¿Comprendo las verdades asociadas con la exhortación piadosa y la importancia que tiene la misma para el liderazgo de mi hogar y de la iglesia?

* ¿Estoy tan seguro de mi caminar con el Señor que no acepto el consejo de nadie? ¿Soy capaz de distinguir entre *mi posición delante del Señor* y *mi condición* en mi caminar con Cristo y con mis hermanos?

* ¿El más grande problema porqué no quiero recibir la buena disciplina del Señor y la exhortación de otros es? ¿Soy orgulloso, criticón, no sumiso?

* Si le pido a mis líderes que completen las siguientes oraciones, ¿qué es lo que dirían? "Cuando se trata de recibir instrucción y disciplina de otros, yo creo que tú eres _____".

* ¿Alguna vez he tenido que aplicar los pasos de Mateo 18? ¿Cómo manejé este asunto? En otras palabras, ¿fui obediente a la instrucción del Señor sobre cómo hacerlo? ¿Cuáles fueron los resultados?

* ¿Busco condenar a otros o restaurarles? ¿Trabajo para edificar al cuerpo cada vez que ejerzo la enseñanza o la consejería?

* ¿Estoy dispuesto a aprender más acerca de la exhortación piadosa, aunque sea difícil dominar y aplicar todos los principios correctamente? Explique su respuesta.

3

Casos de estudio

"Únicamente el pastor es capaz de manejar este tipo de cosas".

En una iglesia donde el pastor ejerce una amplia y piadosa autoridad, se desató un gran desacuerdo entre dos miembros de la misma. Fue lo bastante severo como para ser causa de división en la iglesia, ya que ambos miembros son populares y tienen papeles de importancia en la iglesia. Mientras que uno de ellos maneja este asunto en forma privada y confidencial, el otro insiste que "algo de esta magnitud" necesita ser llevado al pastor. Después de ser discutido en varias ocasiones, no se ha resuelto este dilema. El pastor, el cual es un hombre piadoso y un estimado hermano, no conoce nada de esta situación. ¿Qué consejo daría a aquel que quiere ir al pastor con esta problemática?

Cuando el esfuerzo por alcanzar a los incrédulos se pasa del límite

En un importante debate de un retiro de mujeres, una hermana conocida en la iglesia por llevar una vida santa, compartió su reciente frustración con la enseñanza en la iglesia. Ella dijo, "en un esfuerzo por comunicar el amor y la gracia de Cristo al perdido, temo que nuestra iglesia haya perdido su compromiso de vivir como pueblo santo delante del Señor. Creo que hemos sido llamados a la santidad, y toda persona que dice de manera consistente que no está dispuesto a obedecer a Cristo no puede llamarse creyente. ¿Qué acerca de Primera Juan? ¿Qué acerca de Hebreos? ¿Qué acerca de lo que nuestro Señor dice en el Sermón del Monte? ¿No estamos declarando que pertenecemos a Cristo y al mismo tiempo rehusamos hacer su voluntad, aun en los asuntos pequeños? Si continuamos con este tipo de enseñanza, creo que mucha gente puede ser engañada, pensando que pertenecen al Señor, cuando en realidad no son de Él". Si hubiera escuchado sus comentarios, ¿qué hubiera dicho en respuesta al anhelo de esta hermana de ocuparse de la santidad que tenemos delante de Dios?

La mano disciplinadora del Señor está sobre ella

Una estimada hermana de nuestra congregación, en los últimos diez meses cayó en inmoralidad al juntarse con un hombre no cristiano. Endurecida y sin disposición a quebrantarse, esta estimada hermana resistió cualquier consejería que pretendía restaurar su comportamiento. En las últimas semanas ha experimentado muchas situaciones difíciles. Recientemente dejó su trabajo, su auto fue robado (y devuelto), y hasta ahora no ha hallado otro trabajo. Su relación con su novio no creyente se arruinó, se encuentra muy deprimida y su salud se ha deteriorado (migrañas). Si bien muchos dicen que estos acontecimientos pueden ser una disciplina del Señor, otros sienten que esta visión de Dios convierte a nuestro Señor en un juez cruel y no el Padre amoroso que es para nosotros.

¿Cuál concepto es el correcto? ¿Cómo podemos saber si estos acontecimientos provienen de la disciplina del Señor o son simplemente pura coincidencia? ¿Deberíamos siempre hacer el mismo razonamiento?

Reafirmación de la tesis de la lección

El líder cristiano es alguien que disciplina al pueblo de Dios para que permanezca fiel en su discipulado, exhortándole a que siga el propósito de la edificación. La disciplina exhorta a los creyentes con gracia, enfocándose en la persona de Cristo, afirmando la exhortación en la Palabra de Dios y estando informada por la sabiduría del Espíritu Santo. Si bien nuestra posición delante del Señor (nuestra permanencia) está segura, debido a nuestra fe en Cristo, nuestro caminar diario con Él y con nuestros hermanos (nuestra condición) se encuentra sujeto a cambios, dependiendo de nuestra obediencia a Dios. A causa del desafío que tenemos de vivir para el Señor, debemos estar dispuestos a aprender de otros, para mejorar nuestro estado y alinear nuestra condición con nuestra posición en Cristo. En lo que concierne a ejercer la disciplina espiritual, debemos estar atentos a hacerlo sin orgullo o prejuicios, verificando todas las acusaciones de boca de dos o tres testigos y la necesidad de que en casos severos sea ejercida la autoridad pastoral. El líder cristiano está encargado en guiar el proceso de disciplina que se le da al miembro que ha retrocedido o se ha alejado del pueblo de Dios, con el propósito de restaurarle a una comunión completa en el cuerpo de Cristo. La disciplina tiene el objetivo de evitar que haya pecado en la Iglesia, de corregir un problema existente, de vindicar en forma pública a una persona acusada falsamente y de instruir a la Iglesia en los estándares de la santidad de Dios. Nuestro Señor nos ha dado el procedimiento a seguir en Mateo 18, el cual debemos obedecer cuando nos enfrentamos a una ofensa o conflicto en la Iglesia.

3

Recursos y bibliografía

Si está interesado en profundizar más en las temáticas sobre la *Disciplina Eficaz de la Iglesia: Exhortando, Reprendiendo y Restaurando* le recomendamos los siguientes libros (algunos de estos t tulos pueden estar disponibles en español, o revise nuestro portal en la red cibernética para recursos adicionales en español):

Adams, Jay E. *Sibling Rivalry in the Household of God.* Denver: Accent Books, 1988.

------. *Handbook on Church Discipline.* Grand Rapids: Zondervan, 1986.

Sande, Ken. *El Pacificador: Una guía biblica a la solución de conflictos personales.* Springfield, MO: RDM, 2000.

Welch, Ed. *Addictions: A Banquet in the Grave.* Phillipsburg, NJ: P & R Publishing, 2002.

White, John and Ken Blue. *Healing the Wounded.* Downers Grove, IL: InterVarsity Press, 1985.

El propósito de Dios en estos estudios no es simplemente el almacenamiento de información, sino que Él quiere que nuestras vidas sean transformadas a la semejanza de su Hijo, nuestro Señor Jesucristo. La meta de esta enseñanza acerca de la exhortación piadosa es que pueda disciplinar con cuidado, responsabilidad y cariño a aquellos que están bajo su cargo como también con aquellos que están creciendo hacia la madurez en el contexto de su propia comunidad cristiana. Ningún juego de herramientas en el liderazgo está completo si no se entiende y se aplica la enseñanza y el significado de la Escritura con respecto a la exhortación. Debe estar constantemente abierto a la guía del Espíritu Santo, mientras busca relacionar estas verdades con su ministerio en la iglesia. Este es el objetivo de la enseñanza. Tal vez Dios quiere que cambie o altere algo en su enfoque ministerial en lo que concierne a estas verdades, todo depende de su habilidad de escuchar lo que el Espíritu Santo le dice en estos momentos, en su liderazgo pastoral y en el lugar donde se encuentran los miembros de su iglesia, y atender además al llamado específico de Dios a cumplir con ciertas cosas en su liderazgo. Planee pasar un tiempo en esta semana, meditando sobre su manera de exhortar a otros, considerando en todo su carácter y su habilidad en restaurar a otros de manera pastoral, justa y edificante para todas las partes involucradas. Considere, además, cómo su ministerio refleja la santidad de Cristo conforme busca pastorear a aquellos que están bajo su cuidado. Mientras considera su proyecto ministerial para este módulo, conecte estas verdades a algo práctico. Busque el rostro de Dios para comprender las enseñanzas y regrese la próxima semana con el entusiasmo de compartir las cosas que Dios le ha mostrado con sus compañeros de clase.

Dios nos ha dado promesas que garantizan su obra en todas las áreas de nuestra vida, si presentamos las mismas en oración. La oración es la manera más esencial y directa de recibir la gracia de nuestro Padre, no sólo en nuestra habilidad de exhortar y animar a otros a vivir la vida cristiana, sino en ser sensibles al Espíritu Santo que nos guiará a toda verdad, incluyendo lo concerniente a la disciplina espiritual. Quizás a través de sus discusiones y meditaciones sea iluminado por el Señor para descubrir las áreas defectuosas en su vida o en la vida de otros, con el fin de restaurarlos, o tal vez surjan en usted interrogantes o preocupaciones que requieran la atención del Señor. No dude en encontrar un compañero de oración que pueda compartir su carga y levantar sus peticiones a Dios. Por supuesto, su instructor está muy dispuesto a caminar con usted en estos asuntos, y los líderes de la iglesia, especialmente su pastor, pueden estar especialmente equipados para ayudarle a contestar cualquier pregunta difícil que haya surgido de estos estudios. Ábrase a Dios y permítale guiarle según Su voluntad. Pida al Señor la sabiduría y la gracia necesarias para ser el líder que Él quiere que sea en medio de Su pueblo.

Conexiones ministeriales

Consejería y oración

ASIGNATURAS

Versículos para memorizar

Hebreos 12.5-8

Lectura del texto asignado

Para prepararse para la clase, por favor visite www.tumi.org/libros para encontrar las lecturas asignadas de la próxima semana o pregunte a su mentor.

Otras asignaturas o tareas

Entregue a su maestro el Reporte de lectura, la cual contiene el resumen del material de lectura para la semana. Asegúrese de seleccionar un pasaje bíblico para su proyecto exegético y de entender las reglas y las fechas de entrega para su proyecto ministerial.

Esperamos ansiosamente la próxima lección

En esta última lección exploramos el concepto de la exhortación bíblica. En un mundo lleno de relaciones rotas, visiones inmorales y prácticas perversas, la Iglesia de Jesucristo es llamada a la santidad y a medida que los miembros de la misma se edifican unos a otros a través de la exhortación, Dios es glorificado. Dios ha dado líderes que están llenos del Espíritu, para que edifiquen y supervisen a Su pueblo, exhortándoles a que sean fieles a su llamado. En nuestra próxima lección veremos el último aspecto que enfocamos en este módulo sobre el liderazgo cristiano, es decir, el papel del líder cristiano como consejero bíblico eficaz. Veremos al consejero cristiano como el médico de Dios. Al igual que un médico cuida el cuerpo del paciente, un consejero espiritual cuida el alma y la vida de la persona que está a su cargo. Exploraremos además cómo podemos cuidar mejor a aquellos que experimentan pruebas, tribulaciones y angustias.

3

Nombre _____

Fecha _____

Por cada lectura asignada, escriba un resumen corto (uno o dos párrafos) del punto central del autor (si se le pide otro material o lee material adicional, use el dorso de esta hoja).

Lectura 1

Título y autor: _____ páginas _____

Lectura 2

Título y autor: _____ páginas _____

LECCIÓN
4

Consejería Eficaz
Preparando, Cuidando y Sanando

Objetivos de la lección

¡Bienvenido en el poderoso nombre de Jesucristo! Después de su lectura, estudio, discusión y aplicación de los materiales en esta lección, usted podrá:

- Comprender al líder cristiano como alguien que provee consejo al pueblo de Dios al brindar una dirección espiritual eficaz a través de una aplicación cuidadosa y pertinente de la Palabra de Dios.

- Definir la conexión entre el liderazgo cristiano y la consejería piadosa.

- Comparar el concepto del liderazgo cristiano a un médico de Dios que cuida el alma y el espíritu, e.d., un consejero cristiano es el médico de Dios que cuida estos dos aspectos humanos, al igual que un médico compasivo cuida el cuerpo de un paciente, así un consejero espiritual cuida el alma y la vida de la persona que tiene a su cargo.

- Encontrar los conceptos bíblicos que enseñan la relación que tiene el Espíritu Santo con los consejeros piadosos que usan la Palabra de Dios para satisfacer las necesidades más profundas de su pueblo.

- Entender cómo la Palabra de Dios nos equipa para ejercer la consejería bíblica, conducidos por el Espíritu Santo y bajo el buen consejo de otros.

- Ver al líder cristiano como un pastor que provee cuidado y busca sanidad para el rebaño de Dios durante tiempos de prueba y angustia, con el fin de restablecer la fe en el Señor dentro de Su pueblo.

- Nombrar las formas en las cuales la Palabra de Dios enseña que la tribulación es una realidad inevitable en el pueblo de Dios y que el líder tiene únicamente el papel de brindar un cuidado pastoral, interceder por ellos, protegerles y cubrir en lo posible las necesidades del cuerpo de manera responsable.

- Bosquejar algunos de los problemas asociados con el cuidado de las almas angustiadas, por ejemplo, la maldad, el enojo contra Dios, la venganza y la falta de perdón.

4

Siendo un buen pastor

Lea Juan 10.7-18. El líder cristiano es alguien que modela su ministerio basándose en la vida y obra de nuestro Señor Jesucristo. Tal vez una de las figuras más familiares del liderazgo cristiano sobre su pueblo sea la del pastor y sus ovejas. Al igual que un pastor protege, alimenta, guía, y cuida su rebaño, nuestro Señor Jesús cuida las vidas de Su pueblo. La imagen de Dios como pastor sobre y por su pueblo es una figura común en las Escrituras (nota: todos los versículos a continuación son extraídos de "La Biblia de las Américas"):

Sal. 23.1 - El Señor es mi pastor; nada me faltará.

Sal. 80.1 - Presta oído, oh Pastor de Israel, tú que guías a José como un rebaño!; tú que estás sentado más alto que los querubines; ¡resplandece!

Is. 40.11 - Como pastor apacentará su rebaño, en su brazo recogerá los corderos, y en su seno los llevará; guiará con cuidado a las recién paridas.

Ez. 34.12 - Como un pastor vela por su rebaño el día que está en medio de sus ovejas dispersas, así yo velaré por mis ovejas y las libraré de todo los lugares adonde fueron dispersas un día nublado y sombrío.

Miq 5.4 - Y él se afirmará y pastoreará su rebaño con el poder del Señor, con la majestad del nombre del Señor su Dios. Y permanecerán, porque en aquel tiempo Él será engrandecido hasta los confines de la tierra.

4

Lo que éstos y otros textos enseñan es la intimidad, afecto y valor que un buen pastor necesita para vigilar a sus ovejas. La máxima expresión de esta verdad podemos hallarla en la persona de nuestro Señor Jesucristo. Al igual que un buen pastor permanece y pelea con los enemigos que amenazan el bienestar del rebaño, nuestro Señor pelea por nosotros, nos protege y da su vida en sacrificio por nosotros en el Calvario. Nadie ha mostrado jamás un amor tan completo y valiente como el Señor lo muestra con Su pueblo.

Ahora, lo que es realmente asombroso es que esta imagen del Señor protegiendo y alimentando a su rebaño sea la misma que Dios usa al hablar del líder cristiano y su disposición hacia aquellos a quienes cuida. Qué extraordinaria ilustración nos provee Dios para nuestro liderazgo: un pastor que conoce a cada una de sus ovejas, que cuida genuinamente de cada una de ellas, que se sacrifica y sufre por ellas. Éste cuadro pastoral de nuestro Señor Jesús, quien se entrega por las ovejas, debería ser también el de nuestras vidas. "Yo soy el buen pastor; el buen pastor su vida da por las ovejas". Que Dios dé gracia a sus líderes para ser buenos pastores de su rebaño.

El Credo Niceno y oración

Luego de recitar y/o cantar El Credo Niceno (localizado en el apéndice), haga la siguiente oración:

Señor, consuela al enfermo, al hambriento, al solitario y a aquellos que están heridos y cerrados en sí mismos, por medio de tu presencia en sus corazones; ayúdanos a ayudarles en forma práctica. Muéstranos cómo hacerlo y danos fuerzas, tacto y compasión. Enséñanos cómo estar al lado de ellos y cómo tener empatía en nuestras oraciones. Ayúdanos a ser sinceros delante de ellos y danos valor para sufrir con ellos, gracias, porque haciendo esto podemos compartir contigo el sufrimiento del mundo, ya que somos tu cuerpo en la tierra y tu mano se mueve a través nuestro.

~ Michael Hollings and Etta Gullick
Appleton, George, ed. **The Oxford Book of Prayer**.
Oxford; New York: Oxford University Press, 1988. p. 121.

Prueba

Deje las notas a un lado, haga un repaso de sus pensamientos y reflexiones y tome la prueba de la lección 3, *Disciplina Eficaz de la Iglesia: Exhortando, Reprendiendo y Restaurando.*

Revisión de los versículos memorizados

Revise con un compañero, escriba y/o recite los versículos para memorizar en la última clase: Hebreos 12.5-8.

Entrega de tareas

Entregue el resumen de la lectura asignada la última semana, es decir, su breve respuesta y explicación de los principales puntos del material de lectura (Reporte de lectura).

"La familia primero" es más que un lema

En una iglesia urbana, santa pero con gran necesidad, los miembros del consejo de ancianos estaban enfrentando diversos problemas. Los ancianos, personas santas y siervas, estaban dispuestos a hacer lo que se necesitase para suplir las necesidades de los creyentes. Pero uno de ellos estaba preocupado primeramente por su familia. Este delicado hermano estaba muy preocupado acerca de cómo los miembros con necesidades familiares afectaron a otros con sus problemas. Él mantenía la filosofía de que su familia estaba primero y se había comprometido a atenderlos, dedicando todo el tiempo, esfuerzo y horario necesarios. Aunque esto era bastante noble, este estimado hermano no tenía problema en hacer que otros ancianos cambiaran sus horarios si eso interfería con una cita con su esposa, o una noche familiar con sus hijos. Adaptarse al horario de este hermano se hizo muy difícil y por ende terminaron reuniéndose con poca frecuencia, y al final renunció, sin ni siquiera dejar saber a los ancianos de su decisión. ¿Qué estaba bien o mal en el juicio de este estimado hermano?

Nada que Dios y yo no podamos manejar

En una época donde está muy de moda consultar a los psicólogos y psiquiatras, creyendo que éstos son los verdaderos médicos del alma, muchos cristianos rechazan cualquier tipo de estrategia terapéutica por creerlas limitadas e ineficaces. Muchos en la actualidad desacreditan los tratamientos sobre-medicados y las respuestas que muchos terapeutas dan a la depresión de nuestros días. Otros, al haber sido ayudados por el consejo y los medicamentos que recibieron por parte de la comunidad psiquiátrica, creen que no hay nada de malo con las estrategias en las cuales se dice la verdad y se lidia con problemas físicos reales. ¿Cuál es su opinión acerca de la utilidad y validez de la psiquiatría en la actualidad? ¿Es posible que los discípulos que están madurando en Cristo sean ayudados en tiempos difíciles por terapeutas entrenados, o debiéramos aprender a usar más eficazmente los recursos disponibles en la iglesia?

Preguntas que dan de qué hablar

Debido a la terrible tragedia que golpeó recientemente Nueva Orleans, (la inundación y el huracán que azotó la costa del Golfo), teólogos, éticos y eruditos religiosos buscan darle sentido, defendiendo el hecho de que Dios es bueno y amoroso. En una reciente transmisión, un distinguido panel de sacerdotes, profesores y rabinos discutían el origen del huracán y su poder destructivo. Un rabino declaró con seguridad que Dios no causó ni causaría este huracán, que lo sucedido no tiene nada que ver con Su persona. Él dijo que el huracán debe tomarse simplemente desde el punto de vista geográfico, es decir, las aguas calientes del golfo y las condiciones medioambientales hicieron posible semejante tormenta. El rabino dejó a Dios completamente fuera de toda responsabilidad, declarando no haber tenido parte alguna en el huracán y las consecuencias del mismo. ¿Qué es correcto, qué está mal, o es neutral en la interpretación del rabino sobre la fuerza destructiva del huracán Katrina? ¿Cómo distinguimos qué eventos pueden ser legítimamente llamados "actos de Dios" y cuáles, como dijo el rabino, no tienen nada que ver con la voluntad soberana del Dios Todopoderoso?

Consejería Eficaz: Preparando, Cuidando y Sanando

Segmento 1: Consejería bíblica eficaz: El líder cristiano como médico de Dios

Rev. Dr. Don L. Davis

Resumen introductorio al segmento 1

El líder cristiano es aquel que provee consejo al pueblo de Dios y da dirección espiritual eficaz a través de la buena aplicación de Su Palabra. Como médico del Señor, el líder cristiano usa la Palabra de Dios con el propósito de diagnosticar, dirigir y cuidar los asuntos del herido e indefenso, todo en el nombre del Señor y para la edificación del cuerpo.

Nuestro objetivo para este segmento, *Consejería bíblica eficaz: El líder cristiano como médico de Dios,* es lograr que vea que:

- El líder cristiano es aquel que provee consejo al pueblo de Dios y da dirección espiritual eficaz a través una aplicación cuidadosa y pertinente de la Palabra de Dios.

- Un consejero cristiano es el médico de Dios que cuida el alma y el espíritu, al igual que un médico compasivo cuida el cuerpo de un paciente, así un consejero espiritual cuida el alma y la vida de la persona que tiene a su cargo.

- Como médico del espíritu, el líder cristiano aplica la Palabra de Dios con habilidad y bondad en los asuntos y preocupaciones del pueblo de Dios para su edificación y crecimiento.

- El Espíritu Santo es fundamental en cada fase de la consejería cristiana eficaz y bíblica.

- El consejo de otros líderes experimentados y sabios es un recurso invalorable para guiar y cuidar a otros en sus dificultades en sus vidas.

- El cuidado y contacto con el cuerpo de creyentes es fundamental para la sanidad contínua y proteger a aquellos que han sufrido dificultades y pruebas.

- En última instancia, el líder cristiano debe poner a la gente bajo el cuidado de Dios, quien es el único capaz de sostenerla a través de la gracia transformadora, la cual asegura la salud y la bendición del cuerpo.

4

I. Definiendo la consejería bíblica eficaz

Video y bosquejo
segmento 1

A. Definición: *el líder cristiano es alguien que provee consejo al pueblo de Dios y dirección espiritual eficaz, a través de una aplicación cuidadosa y pertinente de la Palabra de Dios.*

   1. Provee consejo al pueblo de Dios: *el líder cristiano está encargado de dar consejo y sabiduría bíblica al pueblo de Dios, Santiago 1.5.*

   2. Provee dirección espiritual eficaz: *el líder cristiano procura dar dirección espiritual, demostrando el cuidado y la intención de proveer sanidad a aquellos que están necesitados.*

   3. A través de una aplicación cuidadosa y pertinente de la Palabra de Dios: *el líder cristiano basa sus estrategias y métodos en la enseñanza y promesas de la Palabra de Dios, 2 Ti. 3.16-17.*

B. Implicaciones para el liderazgo cristiano urbano

   1. Liderazgo cristiano es sinónimo de ser un consejero piadoso.

   2. Dios quiere que sus líderes guíen a Su pueblo al entendimiento y cumplimiento de su voluntad, la cual es buena, aceptable y perfecta, Ro. 12.1-2.

   3. La Palabra de Dios ofrece el mejor, más rico y más claro entendimiento en lo concerniente a la condición humana y el camino a la libertad, entereza y la justicia en la persona de Cristo, 1 Pe. 1.23-35.

4

El líder es aquel que sirve de consejero al pueblo de Dios, dando una dirección espiritual efectiva y cuidadosa, con aplicaciones de la Palabra de Dios que tienen sentido y relevancia.

El líder cristiano como consejero toca todas las áreas formales del liderazgo mencionadas en el Nuevo Testamento. Los apóstoles mandaron supervisores y diáconos, quienes fueron designados entre los santos (comp. Fil. 1.1). La terminología "ancianos" y "obispos" es usada indistintamente (ver Tito 1.5, 7), y eran ellos quienes pastoreaban al pueblo de Dios (comp. Hechos 20.17, 28). Los "diáconos" (o "servidores") cuidaban de las necesidades materiales de los santos y eran solidarios con los ancianos (ver Hechos 6).

II. Un modelo para la consejería eficaz: El líder cristiano como médico de Dios

A. La "medicina" del alma: la Palabra Viviente de Dios

Un modelo bíblico de consejería eficaz

Dt. 8.2-3 - Y te acordarás de todo el camino por donde te ha traído Jehová tu Dios estos cuarenta años en el desierto, para afligirte, para probarte, para saber lo que había en tu corazón, si habías de guardar o no sus mandamientos. [3] Y te afligió, y te hizo tener hambre, y te sustentó con maná, comida que no conocías tú, ni tus padres la habían conocido, para hacerte saber que no sólo de pan vivirá el hombre, mas de todo lo que sale de la boca de Jehová vivirá el hombre.

2 Ti. 3.15-17 - . . . y que desde la niñez has sabido las Sagradas Escrituras, las cuales te pueden hacer sabio para la salvación por la fe que es en Cristo Jesús. [16] Toda la Escritura es inspirada por Dios, y útil para enseñar, para redargüir, para corregir, para instruir en justicia, [17] a fin de que el hombre de Dios sea perfecto, enteramente preparado para toda buena obra.

1. El ser humano no vive únicamente para satisfacer sus necesidades físicas; *la vida humana alcanza su plenitud con cada palabra* que viene de la boca del Señor.

2. Las Escrituras pueden sanar nuestra enfermedad más fundamental: *nos hace sabios para la salvación a través de la fe en Jesús el Mesías.*

3. Toda la Escritura es *inspirada por Dios*: sabiduría inspirada divinamente por Dios en la persona del Espíritu Santo.

4. Las Escrituras son como medicina para sanar la enfermedad espiritual: la *única fuente que puede equipar* a la persona de Dios para la consejería espiritual.

4

a. Útil para *enseñar*: revela la voluntad de Dios: buena, agradable y perfecta, Ro. 12.1

b. Útil para *reprender*: da a conocer en qué forma nuestras acciones se desvían de la voluntad de Dios

c. Útil para *corregir*: nos instruye en cómo hacer para remediar nuestros desvíos y transgresiones a la voluntad de Dios

d. Útil para *instruir en justicia*: nos fortalecen para que respondamos correctamente y obedientemente a las aflicciones y pruebas venideras.

B. El líder cristiano como médico de Dios es consciente del dolor de otros: *la necesidad de compadecerse genuinamente del herido.*

1. El amor es el más de gran mandamiento, el cual cumple toda la voluntad de Dios, y sirve como fundamento para ayudar genuinamente a todas las personas, Mt. 22.36-40.

2. Un líder que carece de compasión por otros no cuidará apropiadamente de ellos, 1 Co. 13.1-3.

3. Todo el amor que mostramos a otros está basado en el amor que hemos recibido del Señor, 1 Juan 4.7-10.

4. Nuestra aplicación: *haga el inventario de su propio corazón*, Sal. 139.23-24.

C. El líder cristiano como médico de Dios procura entender el motivo que derivó en un cierto problema: *necesita la mente del Espíritu Santo.*

    1. El Espíritu Santo escudriña lo profundo de Dios, aún los pensamientos de Dios, 1 Co. 2.10-11.

    2. Dios el Espíritu puede discernir las causas profundas de nuestro comportamiento y acciones, penetrando en lo más profundo del asunto, yendo más allá de los síntomas superficiales.

        a. Ro. 8.26-27

        b. Ro. 11.33-36

    3. El Espíritu Santo llenó a nuestro Señor Jesús, y le guió en todas sus actividades.

        a. Juan 3.33-34

        b. Lucas 4.1

        c. Marcos 1.12

    4. El Espíritu de Dios llenó a los apóstoles para que hablaran y ministraran en el nombre de Cristo.

        a. En el día de Pentecostés, Hechos 2.4

4

b.   Después de la persecución, Hechos 4.31

c.   Esteban, Hechos 7.55

d.   Pedro antes de dirigirse al Sanedrín, Hechos 4.8

5.   Nosotros podemos ser controlados y llenos del Espíritu Santo, Juan 1.16.

a.   Él mora en nosotros.

(1)   Juan 7.37-39

(2)   Ro. 8.14-18

b.   Él nos ha sellado.

(1)   Ef. 1.13

(2)   2 Co. 1.21-22

c.   Podemos hablar bajo su control e influencia, Juan 16.13.

6.   El Espíritu Santo dio a los primeros creyentes una guía específica dependiendo de la situación y circunstancia en la cual se encontraban.

a.   Para compartir las Buenas Nuevas con los perdidos, Hechos 8.29

b.   Para guiar a los creyentes en el ministerio, Hechos 11.11-12

   c.   Para elegir líderes para la misión, Hechos 13.2,4

   d.   Para los asuntos de disputa en la iglesia, Hechos 15.28

   e.   Para guiar a todos los que son verdaderos hijos de Dios, Ro. 8.14-18

7.   Nuestra aplicación: pídale a Dios sabiduría y discernimiento, y busque la llenura del Espíritu Santo.

   a.   Ef. 5.18

   b.   Gál. 5.16

D. El líder cristiano como médico de Dios busca el consejo de otros para identificar la mejor manera en tratar la enfermedad: *la necesidad de discernimiento bíblico.*

1.   Las Escrituras declaran la importancia del consejo en todo asunto y proyecto.

   a.   Pr. 11.14

   b.   Pr. 12.15

   c.   Pr. 13.10

   d.   Pr. 15.22

e.   Pr. 19.20

f.   Pr. 20.18

g.   Ec. 4.13

2.   El analizar los síntomas del comportamiento y la conducta, aunque es útil, puede ignorar los asuntos más pesados, los cuales surgen de una raíz más profunda.

a.   Las cosas externas no traen contaminación, Marcos 7.14-15.

b.   Porque la contaminación viene de adentro, Marcos 7.17-23

c.   Tito 1.15

d.   Heb. 12.15

3.   Nadie es competente es sí mismo para ser ministro del nuevo pacto; únicamente a través de la suministración y provisión de Dios somos capaces de cumplir con nuestros ministerios, 2 Co. 3.4-6.

4.   Los problemas pueden tener raíces físicas o psicológicas, las cuales se muestran a través del comportamiento.

5.   Ningún diagnóstico dado por el consejero puede quedar exento de una nueva verificación para probar la exactitud del mismo.

a.   1 Ts. 5.21

    b.   Mt. 7.15-20

    c.   Hechos 17.11

    d.   Ro. 12.2

    e.   1 Co. 2.14-15

    f.   Ef. 5.10

6.   La sabiduría que viene de arriba, del Señor, es diferente a la sabiduría terrenal, Santiago 3.13-18.

7.   Nuestra aplicación

    a.   Consulte con personas experimentadas en tratar con problemas espirituales en otras personas.

    b.   Pida sabiduría a Dios para cada situación específica, Santiago 1.5.

E. El líder cristiano como médico de Dios provee cuidado permanente luego que la enfermedad se haya tratado con consejería experta: *el contacto continuo es necesario.*

1.   Los médicos aconsejan cómo continuar con buena salud ("instruir en justicia"), 2 Ti. 3.17.

4

2. Aliviar los síntomas de inmediato es bueno, pero las soluciones a largo plazo traen sanidad y transformación, 2 Co. 5.17.

3. Dios no viene meramente para cambiar una situación en la vida de una persona, sino que a transformar toda la vida de la persona (debemos despojarnos del viejo hombre y vestirnos del nuevo).

    a. Ro. 12.2

    b. Ef. 4.22-24

    c. Col. 3.8-10

4. La consejería bíblica sana apunta tanto a los síntomas inmediatos como a *la situación que ha causado el problema en primer lugar.*

    a. Ro. 13.14

    b. Ro. 8.12-14

    c. Gál. 5.25

    d. Gál. 6.8

5. Nuestra aplicación: instruya no solamente para resolver un síntoma sino para que se siembre para el Espíritu, Judas 1.19-21.

F. El líder cristiano como médico de Dios finalmente da a la persona el privilegio y la responsabilidad de cuidarse a sí misma: *la necesidad de entregar sus derechos al Espíritu Santo.*

    1. A pesar de lo mucho que cuide de otros, no podrá vivir sus vidas; cada uno recibirá en su vida lo que ha cosechado.

        a. Ef. 6.8

        b. 2 Co. 5.10

        c. Gál. 6.7-8

        d. Col. 3.24-25

    2. Que otros tengan el derecho de decidir es el regalo del libre albedrío que Dios nos ha dado (por ejemplo: el padre en la historia del hijo pródigo), Lucas 15.11-32.

    3. Si no reconocemos nuestros límites podemos caer en ejercer una micro-gerencia o en manipular a las personas que aconsejamos.

        a. No somos jueces de nadie; sólo el Señor elogia o condena, 1 Co. 4.5.

        b. Todos recibirán en esta vida y en el siglo venidero el fruto de sus propias decisiones, Ro. 2.5-10.

4

4. Cada persona debe llevar su carga y finalmente cosechar el fruto por lo que ha decidido y hecho.

    a.   Gál. 6.2-5

    b.   El mismo Señor prueba el corazón y prueba las motivaciones de sus hijos para darle a cada uno según su camino, Jer. 17.10.

5. Nuestra aplicación: reconocer nuestros límites como protectores y consejeros.

III. Beneficios de brindar consejería en la iglesia

A. La Palabra de Dios no vuelve vacía, Is. 55.8-11.

B. Mucho menos costosa, de gracia recibisteis, dad de gracia, Mt. 10.8

C. La fortaleza de compartir un panorama cristiano mundial, 1 Co. 6.4-8

D. Un verdadero funcionamiento del cuerpo de Cristo, 1 Co. 12.24-27

Conclusión

» El líder cristiano provee consejo y dirección espiritual eficaz al pueblo de Dios, a través de una cuidadosa y aplicación pertinente de la Palabra de Dios.

» Un líder cristiano es también un consejero de la Palabra de Dios, es el médico de Dios que ofrece un entendimiento compasivo y una instrucción dirigida a ayudar a las personas a encontrar la voluntad agradable y perfecta de Dios para sus vidas.

Aparte un tiempo para contestar éstas y otras preguntas que el video formula. En estos tiempos turbulentos, muchos cristianos y no cristianos están propensos a ignorar cualquier raíz espiritual en sus problemas. El líder cristiano, sin embargo, está llamado a arraigarse en la sabiduría del Espíritu, basándose en Su Palabra y ayudando a los creyentes a encontrar la raíz de sus problemas, desde la perspectiva del Padre. Comprender esta responsabilidad es importante para nuestro desarrollo como líderes cristianos, y es lo que esta lección trata de ofrecer (en cierta medida) con alguna forma de consejería cristiana. Repase los conceptos más importantes en este segmento, buscando llegar al corazón de lo que es el concepto bíblico de un líder cristiano como ministro de la Palabra de Dios en medio de Su pueblo.

1. ¿Por qué es importante definir la consejería cristiana para aplicar la Palabra de Dios en la vida de los aconsejados? ¿Es posible llevar a cabo una consejería "cristiana" que no le dé el principal lugar ni la mayor autoridad a la Palabra de Dios en sus experiencias terapéuticas? Explique su respuesta.

2. Discuta la veracidad de la declaración: "un líder cristiano es sinónimo de un consejero piadoso". ¿En qué sentido el liderazgo cristiano guía al pueblo de Dios hacia Su voluntad, buena, agradable y perfecta?

3. ¿En qué manera el modelo del líder cristiano como médico del espíritu es semejante al líder como consejero descrito en el Nuevo Testamento?

4. ¿Cuál debe ser el papel de las Escrituras cuando ayudamos a los creyentes a ver las raíces más profundas en sus preocupaciones y problemas personales?

5. ¿Por qué es necesario que los líderes cristianos sean llenos del Espíritu Santo si van a representar la voluntad de Dios para su pueblo y a caminar con otros a través de las situaciones que están enfrentando, las cuales producen tribulación?

6. ¿Por qué los líderes cristianos deben buscar el consejo y la influencia de otros consejeros mientras se esfuerzan en cuidar las necesidades de sus aconsejados? ¿Cómo debería un líder cristiano manejar los asuntos confidenciales y privados cuando busca el consejo de otros en este asunto, problema o preocupación?

7. ¿Cómo influye el lugar y la participación de un creyente en la iglesia local en su sanidad actual y cuidado, aun si las primeras etapas del problema o asunto son identificadas y tratadas? ¿Qué papel tiene la comunidad cristiana en cuidar la salud de la persona que experimenta dificultades y dolor en su vida?

4

8. ¿Qué beneficios existen para el líder cristiano que en forma cuidadosa y con cariño se dedica al ministerio de la consejería en el cuerpo de Cristo? ¿Por qué necesitamos encontrar, equipar y liberar (dar lugar) a consejeros piadosos dentro del cuerpo de Cristo?

Consejería Eficaz: Preparando, Cuidando y Sanando

Segmento 2: La práctica de la consejería bíblica: El líder cristiano como pastor

Rev. Dr. Don L. Davis

El líder cristiano es alguien provee cuidado para la sanidad de su rebaño durante tiempos de prueba y angustia para que sean restablecidos en la fe en el Señor y en Su pueblo. Al ser quien brinda cuidado pastoral (pastorea) para otros en el cuerpo, lo hace según el modelo de pastoreo que el Señor da a Su pueblo.

Nuestro objetivo para este segmento, *La práctica de la consejería bíblica: El líder cristiano como pastor,* es permitirle que vea que:

- El líder es alguien cristiano provee cuidado para la sanidad de su rebaño durante tiempos de prueba y angustia para que sean restablecidos en la fe en el Señor. Al ser quien brinda cuidado pastoral (pastorea) para otros en el cuerpo, lo hace según el modelo de pastoreo que el Señor da a Su pueblo.

- Todos los creyentes inevitablemente pasarán por situaciones difíciles, preocupaciones y problemas que representan el lado oscuro de la vida (pruebas, tribulaciones y angustias).

- La función del líder cristiano, ya sea formal o informalmente es la de pastorear: alguien que provee cuidado, alimenta y orienta a los miembros del rebaño.

- El pastorado cristiano implica cuatro aspectos distintos del desarrollo espiritual del cuerpo de Cristo: proteger y vigilar el rebaño, alimentar y nutrir el rebaño, atender y cuidar el rebaño, y guiar y dirigir el rebaño.

- Los pastores dedican su tiempo a cumplir estos papeles, incluyendo el interceder en oración por cada una de las personas atribuladas, permanecer constantes en tiempos peligrosos, cuidar las necesidades específicas de las personas y estar

Resumen introductorio al segmento 2

4

abiertos a la guía del Espíritu Santo para atender cada situación con sabiduría y discernimiento.

- Debemos buscar la voluntad de Dios a medida que ministramos a aquellos que tienen problemas serios, que tienen que lidiar con la maldad, que tienen recursos limitados, que están enojados con Dios y aquellos que buscan la venganza en vez del perdón.

Video y bosquejo segmento 2

Los "pastores" eran literalmente "pastores" (usados para supervisar en el Antiguo Testamento, por ejemplo: Jer. 23.2–4), y en el Nuevo Testamento son identificados como supervisores de las congregaciones locales (Hechos 20.17, 28; 1 Pe.5.1–2); llamados a pastorear al pueblo de Dios anunciando Su mensaje (Jer 23.18–22). Los "Maestros" eran expositores de las Escrituras y de la tradición de Jesús; es muy posible que los pastores también hayan ejercido este papel entre los judíos, ellos probablemente ofrecían instrucción bíblica a la congregación y entrenaban a otros para exponer las Escrituras.
~ C. S. Keener. *The IVP Bible Background Commentary*. (commentary on NT, Eph. 4.11). (electronic ed.). Downers Grove: InterVarsity Press, 1993.

I. Proveyendo cuidado y buscando la sanidad de las almas

A. Definición: *el líder cristiano es alguien provee cuidado y busca la salud para su rebaño durante los tiempos de prueba y angustia, con el fin de restablecerles en su fe en el Señor y en Su pueblo.*

1. Provee cuidado y busca la salud a favor de los miembros del rebaño de Dios: *el líder cristiano tiene la responsabilidad de pastorear (cuidar y atender) a aquellos que están a su cargo*, Hechos 20.28.

   a. Ponga cuidadosa atención en su bienestar.

   b. Atienda y guarde al rebaño en el cual el Espíritu Santo le ha hecho "supervisor".

   c. El propósito de este cuidado es "proteger la Iglesia de Dios".

   d. La Iglesia pertenece a Cristo (quien la compró con su propia sangre).

2. Durante sus tiempos de prueba y desesperanza: *el líder cristiano está presente durante los tiempos de prueba de aquellos a quienes ministra*, (según Cristo, un asalariado huye a la primera señal de problema), comp. Juan 10.11-13.

    a. Sus tiempos de prueba y tribulación

    b. Sus tiempos de pérdida y luto

    c. Sus tiempos de ansiedad y angustia

3. Para restablecerles en la fe en el Señor y en Su pueblo: *el líder cristiano busca restaurar la fortaleza del herido y estar unidos en una misma fe como ciudadanos del Reino de Dios,* Fil. 3.20-21.

B. La necesidad de proveer cuidado y buscar sanidad: *la seguridad de la tribulación en la vida de los discípulos,* Lucas 10.25-37

    1. La tribulación y las pruebas son inevitables; las mismas no pueden ser eludidas.

        a. Juan 16.33

        b. Hechos 14.22

        c. Ro. 8.36

        d. 2 Ti. 3.12

e.   1 Ts. 3.4

2.   La presencia de las tribulaciones está asociada con nuestra identificación con Jesús y con los discípulos de todo el mundo.

a.   Juan 15.19-21

b.   1 Pe. 4.13-14

c.   1 Pe. 5.9

3.   Su presencia es un medio para manifestar la gracia (para recibir la aprobación de Dios y ministrar la gracia de Dios a otros).

a.   Santiago 1.2-4

b.   Santiago 1.12

c.   Heb. 10.34

d.   Col. 1.24

e.   2 Co. 12.9-10

C.   El papel particular del liderazgo cristiano: la función pastoral

4

1. Para guardar y vigilar, Heb. 13.7

2. Para alimentar y nutrir, Juan 21.15-17

3. Ocuparse y cuidar del rebaño de Dios, Hechos 20.28

4. Guiar y conducir, 1 Pe. 5.2-3

II. Principios cruciales para cuidar las almas atribuladas

A. Los pastores interceden por sus rebaños: la importancia de la *oración*.

1. Entregue al Señor por medio de la oración todo lo que hace y dice, Santiago 5.13-16.

2. La oración tuvo gran impacto en el ministerio de los apóstoles para dar sanidad y liberación en variadas situaciones.

    a. Hechos 9.40

    b. Hechos 28.8

3. Jesús prometió que aquellos que oran con fe consiguen grandes cosas a favor de los demás.

    a. Mt. 7.7

Nuestra generación no es la primera en tener pastores que no cuidan. Todavía existen obispos y rectores de parroquias; y mi mayor deseo es que mantengan el liderazgo en cada área. Puedo entender que tengan una piadosa y excelente administración si primero cumplen con las funciones de cuidar; pero cuando dejan su responsabilidad a un lado y le asignan a otros la tarea, (siendo aún considerados pastores) actúan como si la función del pastor fuera la de no hacer cosa alguna . . . Debemos entender además que va contra todo sentido común considerar como pastor a aquel que nunca ha visto oveja alguna de su rebaño.
~ Juan Calvino.
Institución de la Religión Cristiana. Translation of Institutio Christianae Religionis. Originally published: Edinburgh: Calvin Translation Society, 1845-1846. (IV, v, 11). (electronic ed.) Oak Harbor, WA: Logos Research Systems, Inc. 1997.

b. Marcos 11.22-24

c. Marcos 16.17-18

d. Juan 14.13

e. Juan 15.7

4. Pablo buscó oración a su favor y a favor de otros, y tuvo fe en que esta oración otorgaría bendición a muchos, 2 Co. 1.11.

5. Los apóstoles oraron constantemente por el bienestar y crecimiento de los creyentes bajo su cuidado, comparar Ef. 1.15-16 con Ro. 1.8-9; Fil. 1.3-4; Col. 1.3; 2 Ts. 1.3, etc.

B. Los pastores no corren para alejarse del rebaño ni lo abandonan cuando existe peligro: la importancia de la *presencia*, Juan 15.

1. Comprender la importancia de la presencia (estar presente con el que sufre durante su situación), Juan 10.11-15.

2. Aprender el arte de ser un oidor con empatía ("la habilidad de colocarse en la situación de otro").

a. Ro. 12.15

b. 2 Co. 11.28-29

4

    c.   Gál. 6.2

    d.   Heb. 13.3

    e.   1 Pe. 3.8

3.   Ministrar las necesidades del herido en su situación, cubriendo aquellos "detalles" que a causa de su estrés y fatiga puede ignorar o pasar por alto.

    a.   Mt. 25.36

    b.   2 Ti. 1.16-18

    c.   Fil. 4.14-19

    d.   Heb. 13.2-3

    e.   Col. 4.18

C. Los pastores atienden las necesidades específicas de su rebaño: la importancia de la *empatía*.

1.   Nuestro más gran desafío es el cuidado pastoral y empatía genuina, relacionándonos e identificándonos con el dolor de la persona herida.

a.   Gál. 6.2

    b.   1 Pe. 2.24

2.   Debemos cuidar a otros de la misma manera que nos cuidamos a nosotros mismos, Gál. 5.13-14.

3.   ¡Pastorear ovejas es incómodo! Cualquiera que sea la carga que otros estén llevando, nosotros que somos fuertes, debemos soportarlas y llevar sus debilidades, no agradándonos a nosotros mismos.

    a.   Ro. 15.1

    b.   1 Co. 9.22

    c.   1 Co. 12.22-24

    d.   1 Ts. 5.14

4.   Debemos enseñar a las personas atribuladas que Jesucristo entiende su dolor y comprende sus necesidades, ya que comparte nuestras luchas humanas.

    a.   Heb. 2.17-18

    b.   Heb. 4.15-5.2

4

5. Debemos soportar con ellos, sentir con ellos, sufrir al lado de ellos, y llevar sus aflicciones para su bienestar.

    a. 2 Ti. 2.10-13

    b. Ef. 3.13

    c. Col. 1.24

D. Los pastores responden sensiblemente en cada situación: la importancia de ser *controlados y dirigidos por el Espíritu.*

    1. No resista el ministerio del Espíritu Santo en su cuidado pastoral; sea abierto y esté dispuesto a la guía del Espíritu mientras enseña la verdad de la Palabra, Ef. 5.18; Hechos 7.51.

    2. Si somos controlados por el Espíritu podremos acercarnos a aquellos que necesitan cuidado de manera amorosa y compasiva, Gál. 5.22-24.

    3. El Espíritu le proveerá las palabras proféticas o una palabra nueva mientras cuida y aconseja a otros; debe estar listo para hablar lo que el Espíritu le dicte.

        a. 1 Ti. 4.14

        b. 2 Ti. 1.6

        c. 1 Ts. 5.19-21

d. Ef. 4.30

4. Estamos para proveer una enseñanza apropiada basada en el discernimiento espiritual que tengamos en cada situación, 1 Ts. 5.14.

E. Los pastores cuidan de su rebaño con sabiduría y discernimiento: la importancia del *discernimiento obediente.*

1. Dios ha prometido sabiduría a aquellos que buscan su voluntad, a quienes le piden a Él, Santiago 1.5.

2. Debemos proveer la seguridad de que nada puede separarnos del amor de Dios, Ro. 8.35-37.

3. Tal vez no comprendamos todos los caminos de Dios, pero conocemos a Dios mismo y sabemos que es bueno y recto en todo lo que hace.

4. No podemos comprenderlo totalmente, pero sufrimos con Cristo para ser glorificados con Él.

a. Ro. 8.17-18

b. Mt. 16.24

c. Juan 12.25-26

4

5. Sabemos que nada de lo que podamos enfrentar irá más allá de la gracia y el amor que nuestro Padre provee en medio de las dificultades.

   a. 2 Co. 4.8-12

   b. Ro. 8.35-39

6. Después de todo, debemos actuar según la voluntad de Dios, incluso si no está en armonía con nuestro juicio o el juicio de otros.

   a. La Palabra de Dios provee luz y entendimiento para lo que debemos hacer en cada situación, y por este motivo debemos equipar a la gente en la Palabra de Dios.

      (1) Sal. 119.130

      (2) 2 Pe. 1.19

      (3) Pr. 6.23

   b. Las bendiciones caen sobre aquellos que obedecen la Palabra de Dios, Santiago 1.22-25

      (1) Sal. 111.10

      (2) Sal. 119.105

   c. Aquellos que escuchan las enseñanzas de Jesús deben seguirlas para soportar la prueba y la tribulación, Mt. 7.24-27.

7. Nosotros no somos ni el Espíritu Santo ni la persona que cuidamos; deje que la persona tenga la última decisión, ésta determina lo que quiere cosechar, Gál. 6.7-10.

a. Cada individuo cosecha lo que personalmente siembra.

b. Ellos pueden sembrar para la carne o para el Espíritu; se cosechará de forma correspondiente y con resultados distintos.

c. No debemos cansarnos de hacer el bien, cosecharemos siempre y cuando no nos demos por vencidos.

III. Problemas especiales al cuidar y buscar la sanidad de las almas atribuladas

A. *El problema del mal*: ¿cómo explica la voluntad de Dios cuando suceden cosas horribles a personas buenas?

1. Estamos destinados a tener tribulación, Juan 16.33.

2. El diablo está vencido, pero sigue con ánimo de destruir, 1 Pe. 5.8.

3. Como servidores de Cristo, no somos más grandes que nuestro Señor; si el mundo lo menospreció, debemos esperar el mismo trato.

a. Juan 13.16

b. Mt. 10.24

c. Juan 15.20

4. Nada nos puede separar del perdurable amor de Dios, Ro. 8.35-37.

B. *El problema de dar cuidado*: ¿cuáles son los límites cuando ofrecemos ayuda a otros, qué podemos hacer para ayudar a la gente durante los tiempos de angustia y prueba?

1. Además de estar disponibles, dar de nuestro tiempo y brindarnos nosotros mismos y nuestros recursos a disposición de otros, no podemos hacer nada por ellos.

2. Cada persona debe llevar su propia carga, Gál. 6.4.

3. Debemos ser fieles en aquellas cosas que podemos y debemos hacer, el resto está en las manos de la persona y del Señor, 1 Co. 4.1-2.

4. Reconocer la importancia del tiempo que transcurre en el proceso de sanidad.

C. *El problema del enojo contra de Dios*: ¿cual debería ser nuestra reacción hacia el Señor en medio de la prueba y los problemas personales? ¿Enojo? ¿Venganza contra aquellos que nos lastimaron? ¿Impaciencia? ¿Culpa absoluta?

1. Confiar en Su provisión, Pr. 3.5-6

2. Comprender que Él conoce todas las cosas, Job 23.8-10

3. Tener la seguridad de que todas las cosas obrarán para nuestro bien, comp. Ro. 5.3-4; Ro. 8.28

4. Confiar en que esta prueba es momentánea y tiene el propósito de prepararnos para la gloria venidera

    a. 2 Co. 4.15-17

    b. 1 Pe. 1.7

D. *El problema de la venganza y el perdón*: ¿deberíamos animar a los sufridos a buscar la venganza contra aquellos que les han hecho un mal?

1. Debemos aconsejar a otros a nunca pagar mal por mal, ya que la venganza pertenece sólo al Señor, Ro. 12.17-21.

2. Las bendiciones caen sobre aquellos que no contestan o responden de la misma manera, cuando son dañados por alguien.

    a. 1 Pe. 3.9

    b. Lucas 6.27-30

3. En todas las cosas debemos dejar que la ética al revés (patas arriba) del reino de Jesucristo gobierne todo lo que hacemos, ya que nuestra ciudadanía no está aquí, sino en el cielo, con Cristo.

    a. Fil. 3.20-21

    b. Col. 3.1-3

    c. Lucas 12.32-34

4

Conclusión

» El líder cristiano provee cuidado y busca la sanidad de su rebaño durante los tiempos de prueba y angustia, para restablecerles en su fe en el Señor y Su pueblo.

» Aunque todos los discípulos experimentan pruebas, Dios ha llamado a pastores piadosos a estar bajo Su autoridad para guardar, atender, alimentar y proteger a Su pueblo, ayudándoles a crecer durante los tiempos de lucha y estrés.

Las siguientes preguntas están diseñadas para ayudarle a repasar el material del video en el segundo segmento. A través del ejemplo de Jesucristo y su amor por Su pueblo, el líder cristiano es llamado a guardar, atender, alimentar y proteger al pueblo de Dios. Quizá no haya mayor honor en la vida que servir al Señor atendiendo y alimentando a Su pueblo, el cual Él compró con su sangre. Para aprender cómo cuidar el rebaño de Dios, una de las cosas más importantes que debe tener un líder siervo es ser responsable en todo nivel y trabajar en la Iglesia de Dios. Desde el pastor principal hasta el más modesto maestro de Escuela Dominical, comparten el supremo llamamiento de cuidar, alimentar y proteger a las ovejas de Dios. Practique cuidadosamente los conceptos más importantes de esta lección y busque comprender todos estos principios a la luz del llamado de Dios de cuidar y alimentar a Sus ovejas.

Seguimiento 2

Preguntas y reflexión acerca del contenido del video

1. ¿Es únicamente la responsabilidad del pastor principal, atender y cuidar a las ovejas del rebaño de Dios, o cada líder cristiano comparte este honor y deber?

2. ¿Por qué el pastorado es una responsabilidad espiritual tan importante para los cristianos que viven en comunidades urbanas, acosadas por la violencia y repletas de familias deshechas? ¿Por qué las comunidades como éstas demandan pastores que dediquen tiempo en cuidar al pueblo de Dios?

3. El comentario de Jesús acerca del asalariado que huye al enfrentar el peligro nos enseña algo fundamental sobre los pastores. ¿Qué implica que los pastores estén dispuestos a enfrentar y confrontar aquellas cosas que amenazan el bienestar y sustento de las ovejas?

4. ¿Qué enseña la Escritura acerca de lo inevitable de las tribulaciones y las pruebas en la vida del pueblo de Dios? ¿En qué sentido Dios no deja que los creyentes enfrenten estas pruebas solos?

5. Defina los cuatro aspectos en los cuales el papel pastoral es cumplido por los pastores cristianos. ¿En qué sentido los pastores *sirven bajo la autoridad* del Pastor Principal, es decir, el Señor Jesús?

6. ¿Por qué la oración constante es importante para un creciente ministerio pastoral?

7. ¿Es posible pastorear a las ovejas como Dios demanda sin cuidar de ellas? Explique su respuesta.

8. ¿Cuál es el papel del Espíritu Santo en la vida y ministerio de un pastor? ¿Por qué necesitamos el discernimiento del Espíritu para cuidar al pueblo de Dios? ¿Por qué debemos rendir nuestro amor al Señor y dejar en sus manos el resultado de nuestras actividades pastorales?

9. ¿Cómo ayudamos a otros a entender que existe el mal en el mundo, especialmente cuando le suceden cosas terribles a los creyentes y muchos incrédulos parecen estar inmunes de problemas similares?

10. ¿Está bien enojarse con Dios por una situación de maldad o dificultad que enfrentamos en nuestras vidas? Explique su respuesta.

11. ¿Debemos animar a aquellos que han sufrido algún mal por las acciones de otro a buscar justicia y/o venganza contra los mismos? ¿En qué momentos deberíamos buscar justicia cuando alguien hace un mal contra nosotros?

CONEXIÓN

Resumen de conceptos importantes

Esta lección se encuentra totalmente enlazada con la lección anterior, culminando con la responsabilidad que tenemos de ser el mismo tipo de líderes que nuestro Señor fue, siendo Él nuestro Pastor principal. Como hombres y mujeres llamados por el Señor para representar sus intereses y propósitos entre su pueblo, tenemos el honor de proveer cuidado y buscar el bienestar y la sanidad de los miembros de Su rebaño durante tiempos de prueba y angustia. Ésta será finalmente la verdadera prueba del amor que tiene por el Señor (por ejemplo: mire su interacción con Pedro en Juan 21), es necesario tomar la tarea del liderazgo cristiano con seriedad y sobriedad. Repase cuidadosamente estos principios y busque comprender su implicación en toda forma en su vida y ministerio.

- El líder cristiano es aquel que provee consejo al pueblo de Dios y da dirección espiritual eficaz a través de una buena y pertinente aplicación de la Palabra de Dios.

- Un consejero cristiano es el médico de Dios que cuida el alma y el espíritu, al igual que un médico compasivo cuida el cuerpo de un paciente, así un consejero espiritual cuida el alma y la vida de la persona que tiene a su cargo.

- Como médico del espíritu, el líder cristiano aplica la Palabra de Dios con habilidad y bondad en los asuntos y preocupaciones del pueblo de Dios para que éste sea edificado y crezca.

- El Espíritu Santo es necesario en cada fase de la consejería cristiana eficaz y bíblica, especialmente en buscar discernimiento y sabiduría al dirigir a otros dentro de la voluntad de Dios.

- El consejo piadoso de otros líderes experimentados y sabios es un recurso invaluable para guiar y cuidar a otros en sus dificultades en la vida.

- El cuidado y contacto con el cuerpo de creyentes es fundamental para cuidar la sanidad y proteger a aquellos que han sufrido dificultades y pruebas.

- En última instancia, el líder cristiano debe poner a la gente bajo el cuidado de Dios, quien es el único capaz de sostenerla, a través de la gracia transformadora, la cual asegura la salud y bendición del cuerpo.

- El líder cristiano provee cuidado para la sanidad de su rebaño durante tiempos de prueba y angustia para que sean restablecidos en la fe en el Señor.

- Todos los creyentes inevitablemente pasarán por situaciones difíciles, preocupaciones y problemas que representan el lado oscuro de la vida (problemas, tribulaciones y angustias).

- La función del líder cristiano, ya sea formal o informalmente, es la de pastorear: ser quien provee cuidado contínuo, alimenta y orienta a los miembros del rebaño.

4

- El pastorado cristiano implica cuatro aspectos distintos del desarrollo espiritual en el cuerpo de Cristo: proteger y vigilar el rebaño, alimentar y nutrir el rebaño, atender y cuidar el rebaño, y guiar y dirigir el rebaño.

- Los pastores dedican su tiempo en cumplir estos papeles, incluyendo el interceder en oración por cada una de las personas atribuladas, permanecer constantes en tiempos peligrosos, cuidar las necesidades específicas de las personas, y estar abiertos a la guía del Espíritu Santo para atender cada situación con sabiduría y discernimiento.

- Debemos buscar la voluntad de Dios a medida que ministramos a aquellos que tienen serios problemas, quienes lidian con la maldad, o los recursos limitados, o están enojados con Dios, o desean vengarse en vez de perdonar.

Aplicación del estudiante

Es tiempo de discutir con sus compañeros las preguntas acerca de su disposición para pastorear (e.d., vigilar, cuidar, alimentar y proteger) las ovejas de Dios, sea que Dios le llame a ser pastor de una iglesia, o servir en el cuerpo en alguna otra forma, es absolutamente necesario que aplique este estudio en su ministerio. Puede ser que Dios no nos ha llamado a todos a ser el pastor, pero sí a ser *pastorales* con nuestros hermanos y hermanas del rebaño. Mientras considera este estudio en su vida tal, vez algunas de las preguntas a continuación le ayuden a formular las suyas propias de manera más específica.

* ¿Me ha llamado Dios a ser pastor, a ser formalmente reconocido como un pastor bajo autoridad en la iglesia local? Si estoy sirviendo en la actualidad como pastor, ¿cómo debo comprender la naturaleza de mi responsabilidad de pastorear al pueblo de Dios?

* ¿Me describiría como una persona de valor, e.d., alguien dispuesto a sacrificar mi bienestar para defender y proteger a otros, a los cuales Dios me ha llamado a cuidar?

* ¿Me han descrito alguna vez como una persona pastoral, es decir, alguien que tiene las características y disposición de alguien llamado a pastorear otros?

* Escudriñe la lista de características que deben tener los ancianos y obispos en 1 Timoteo 3, Tito 2 y 1 Pedro 5. ¿En qué situación está su vida si la compara con la lista de rasgos de aquellos que están llamados a proveer cuidado y liderazgo en la Iglesia?

* De las distintas cualidades del pastorado cubiertas en esta lección, ¿cuál de ellas describe más el tipo de persona que he sido en mi caminar cristiano? ¿Qué rasgo

4

parece alejarse más de mi experiencia cuando considero mi relación con otros en el ministerio?

* ¿Tengo actualmente el deseo, la madurez y la oportunidad de ejercer el papel pastoral de manera formal en una iglesia? ¿Qué necesitaría hacer para confirmar este tipo de llamado en mi vida, e.d., mis líderes me ven como el tipo de persona que puede cuidar a otros a través en este papel?

* Si Dios no me ha llamado a ser *pastor* en una iglesia, ¿de qué *manera pastoral* quiere que sirva a otros creyentes? Sea específico en su respuesta.

* ¿He resuelto en mi mente cómo debo luchar con situaciones difíciles relacionadas a la maldad, al enojo con Dios a causa de las dificultades en mi vida, o el querer tomar venganza de aquellos que me han hecho daño? Explique su respuesta.

Casos de estudio

No hay respuesta todavía

En un grupo de apoyo cristiano, varias parejas de padres que sufrieron la pérdida de sus hijos se reunieron por varios meses con el propósito de ayudarse mutuamente a superar esta tragedia y brindarse apoyo y consuelo. Algunas de las familias del grupo habían sufrido recientemente la muerte de niños pequeños, mientras que otros seguían luchando luego de haber perdido a sus hijos años atrás. Un número sorprendente de padres cristianos decía "yo sigo enojado con Dios por lo que pasó" o "Dios me debe una explicación de todo esto". ¿Cómo ayudaría a estos creyentes a luchar con tal pérdida, lidiando con la falta de respuestas en lo que concierne a las razones y propósito por las cuales han muerto sus hijos?

El pastor excesivamente comprometido

 Todos hemos oido de algún pastor que se compromete excesivamente con el ministerio, y lo explica diciendo que lo hace por su amor al Señor. Mientras tanto, su familia nunca lo ve, no come ni descansa con ellos. Este pastor cita textos sobre el sacrificio de Cristo a favor de la iglesia y en forma sincera quiere alcanzar el mismo nivel de servicio que el Señor, el cual lo llamó para el ministerio. Muchos ministros en la iglesia están al borde del divorcio y sus hogares se encuentran destruidos debido a que no han sido capaces de manejar correctamente las prioridades del Reino, la iglesia y el hogar. ¿Cómo podemos ayudar a un "pastor excesivamente comprometido" a poner su casa en orden, e.d., administrando su tiempo y su vida como enseña la Escritura?

Llamado a ser el pastor, pero no a pastorear

 En una iglesia evangélica en vías de desarrollo, el pastor principal está queriendo definir el papel del pastorado. Él cree que Dios de hecho le ha llamado a ser el pastor principal de la iglesia, pero no siente la obligación de pastorear a familias individuales o personas. Por tanto ha reunido a personas talentosas para que estén a su alrededor, delegando la responsabilidad de pastorear y visitar enfermos, aconsejar a otros, contestar preguntas, hacer consejería matrimonial, concurrir a funerales, etc. Esta tendencia, que es común en las crecientes mega-iglesias, parece ser el método que eligen las iglesias que aíslan a su pastor principal para que sea un maestro o la figura pública, mientras que todas las tareas de pastorado le son entregadas a otros. ¿Es del Señor esta tendencia?

4

Reafirmación de la tesis de la lección

El líder cristiano provee consejo al pueblo de Dios al brindar una dirección espiritual eficaz a través de la aplicación cuidadosa y pertinente de Su Palabra. Un consejero cristiano es un médico de Dios, es decir que, al igual que un médico compasivo cuida el cuerpo de un paciente, un consejero espiritual cuida el alma y la vida de la persona a su cargo. Como médico de Dios, el líder cristiano aplica la Palabra de Dios con habilidad y bondad en los asuntos y preocupaciones de Su pueblo con el propósito de edificar y dar crecimiento. El líder cristiano está encargado además de proveer cuidado y buscar la sanidad del rebaño de Dios durante los tiempos de prueba y angustia, con el fin de restablecerles en su fe en el Señor y en su pueblo. Todos los creyentes inevitablemente pasarán por situaciones difíciles, preocupaciones y problemas, los cuales representan el lado oscuro de la vida: pruebas, tribulaciones y angustias. La función del líder cristiano, ya sea formal o informal, como pastor (es decir, aquel que cuida y protege, alimenta y guía a los miembros del rebaño) es la de guardar y vigilar el rebaño, alimentarlo y nutrirlo, atenderlo y cuidarlo, y guiarlo y dirigirlo. Debemos buscar la voluntad de Dios a medida que ministramos a aquellos que enfrentan serios problemas con la maldad, con los recursos limitados, que están enojados con Dios, o que prefieren vengarse en vez de perdonar.

Si está interesado en profundizar sobre la *Consejería Eficaz: Preparando, Cuidando y Sanando*, le recomendamos los siguientes libros (algunos de estos t tulos pueden estar disponibles en español, o revise nuestro portal en la red cibernética para recursos adicionales en español):

Bonhoeffer, Dietrich. *Life Together.* New York: Harper & Row, 1954.

Fisher, David. *The 21st Century Pastor.* Grand Rapids: Zondervan Publishing House, 1996.

Mitchell, Henry H. *The Recovery of Preaching.* New York: Harper and Row, 1977.

Stott, John R. W. *Between Two Worlds.* Grand Rapids: William B. Eerdmans Publishing Company, 1982.

Wagner, Peter. *Your Spiritual Gifts Can Help Your Church Grow.* Ventura, CA: Regal, 1979.

Recursos y bibliografía

4

Conexiones ministeriales

Uno de los elementos más importantes del módulo Piedra Angular es el proyecto ministerial, es decir, la oportunidad que tiene para aplicar los puntos más importantes del módulo a través de una práctica que usted y su mentor acuerden. Las posibilidades de usar lo que ha aprendido son muchas. El deseo de Dios es que cada uno de nosotros, a través de la aplicación de la Palabra de Dios en nuestras vidas, crezcamos como cristianos y líderes. La práctica es importantísima en este proceso; somos llamados a crecer en la gracia y el conocimiento de nuestro Señor Jesucristo (2 Pe. 3.18). Las posibilidades de llevar este estudio a su ministerio son numerosas y ricas: piense todas las maneras en las cuales esta enseñanza puede influir su vida devocional, sus oraciones, sus respuestas en la iglesia, su actitud en la obra, etc.

Lo más importante ahora es que repase los puntos más importantes del módulo y comience a relacionar seriamente esta enseñanza con su vida, trabajo y ministerio. El proyecto ministerial está diseñado con este propósito y en los próximos días tendrá la oportunidad de llevar a cabo las verdades estudiadas en su vida y ministerio. Ore para que Dios le dé sabiduría para seguir sus caminos, mientras comparte sus ideas en sus proyectos.

Consejería y oración

Nuestra discusión acerca del papel del líder cristiano como consejero y pastor pone en claro el privilegio y la responsabilidad asociados a este llamado. Espero que luego de haber leído los distintos textos, meditado en la enseñanza del video y discutido con sus colegas cada uno de los temas más importantes, el Espíritu Santo haya hablado a su corazón. A la luz de lo estudiado, ¿qué asuntos específicos, personas, situaciones u oportunidades necesita levantar al Señor en oración? ¿Qué está buscando que Dios haga para usted y en usted, como resultado de sus estudios en esta lección? ¿Qué asuntos o personas ha puesto el Espíritu de Dios en su corazón para que suplique por ellos en oración en lo concerniente a esta lección? Considere todas estas cosas y busque recibir el apoyo necesario en consejo y oración por lo que el Espíritu le ha mostrado.

 **ASIGNATURAS**

Versículos para memorizar

No hay tarea que entregar.

Lectura del texto asignado

No hay tarea que entregar.

Otras asignaturas o tareas

Su proyecto ministerial y su proyecto exegético ya deben estar definidos, determinados, y aceptados por su instructor. Ya no hay más lecciones en este módulo, así que debe estar seguro que se ha comunicado con su instructor, que ha recibido todas las reglas y bosquejos para sus tareas y que está de acuerdo en una fecha para entregar las mismas.

Anuncio del Examen Final

El Examen Final lo podrá llevar a casa, e incluirá preguntas de las primeras tres pruebas, preguntas nuevas o material extraído de esta lección, además de preguntas de ensayo que exigirán respuestas cortas a preguntas de importancia. Además debe estudiar los versículos memorizados durante el transcurso del examen. Cuando haya completado su examen, por favor notifíquelo a su mentor y asegúrese de entregarle todos los papeles.

Por favor, tome en cuenta lo siguiente: su calificación no puede determinarse si no toma el examen final y entrega todas las asignaturas a su mentor (Reportes de lectura, proyecto ministerial, proyecto exegético y Examen Final).

Por Su gracia y amor, Dios nos ha dado el sublime privilegio de representar Sus propósitos e intereses en medio de Su pueblo. Somos parte de una cadena inquebrantable de siervos que se han sacrificado, trabajado y dado todo de sí para la gloria del Señor Jesucristo, nuestro recurso y nuestra vida. Como líderes cristianos debemos reflejar la hermosura y el carácter de Cristo entre su pueblo. Hemos sido llamados a ministrar. Este ministerio tiene muchas facetas, incluyendo la de guiar al pueblo de Dios en adoración, Palabra y sacramentos, incorporar y mentorear a los nuevos creyentes a la familia de Dios. Como sus representantes, somos llamados a exhortar y animar a Su pueblo para la edificación y supervisar con responsabilidad la disciplina espiritual y restauración de aquel que se ha alejado. En esta lección hemos aprendido que el líder cristiano también provee consejo al pueblo de Dios y una dirección espiritual eficaz a través de un cuidadoso y pertinente uso de la Palabra de Dios, así como también cuida y busca el bienestar y la sanidad de los miembros del rebaño de Cristo, durante los tiempos de prueba y angustia. Entre otros, éstos conceptos radican en el corazón de un verdadero liderazgo cristiano, el cual se basa en el modelo de Cristo y el ejemplo de los apóstoles.

Lo más obvio en esta realidad es que nadie puede obtener por sus propias fuerzas y esfuerzo la práctica de estos estudios. Solamente es posible con el poder de Aquel que nos llena de la presencia de Cristo. El Padre nos ha enviado al Espíritu Santo para que podamos recibir su llenura, con el propósito de representar a nuestro Señor con honor y excelencia. Nuestro deseo más sincero es que el Espíritu Santo le llene con su presencia y le dé sabiduría para comprender la Palabra de Dios, con el propósito de que sea digno de representar a nuestro Señor en medio de su querido pueblo.

Que nuestro Salvador le dé gracia y dirección a medida que se esfuerza por vivir su llamado de liderar con excelencia y honor, todo para la gloria de Dios en Cristo. ¡Amén!

**La última palabra
sobre este módulo**

4

Apéndices

A P É N D I C E   1

El Credo Niceno

Versículos para memorizar ⇩

Ap. 4.11 *"Señor, digno eres de recibir la gloria y la honra y el poder; porque tú creaste todas las cosas, y por tu voluntad existen y fueron creadas".*

Jn. 1.1 *En el principio era el Verbo, y el Verbo era con Dios, y el Verbo era Dios.*

1 Co. 15.3-5 *Porque primeramente os he enseñado lo que asimismo recibí: Que Cristo murió por nuestros pecados, conforme a las Escrituras; y que fue sepultado, y que resucitó al tercer día, conforme a las Escrituras; y que apareció a Cefas, y después a los doce.*

Ro. 8.11 *Y si el Espíritu de aquel que levantó de los muertos a Jesús mora en vosotros, el que levantó de los muertos a Cristo Jesús vivificará también vuestros cuerpos mortales por su Espíritu que mora en vosotros.*

1 Pe. 2.9 *Mas vosotros sois linaje escogido, real sacerdocio, nación santa, pueblo adquirido por Dios, para que anunciéis las virtudes de aquel que os llamó de las tinieblas a su luz admirable.*

1 Ts. 4.16-17 *Porque el Señor mismo con voz de mando, con voz de arcángel, y con trompeta de Dios, descenderá del cielo; y los muertos en Cristo resucitarán primero. Luego nosotros los que vivimos, los que hayamos quedado, seremos arrebatados juntamente con ellos en las nubes para recibir al Señor en el aire, y así estaremos siempre con el Señor.*

Creemos en un solo Dios, *(Dt. 6.4-5; Mc. 12.29; 1 Co. 8.6)*
>Padre Todopoderoso, *(Gn. 17.1; Dn. 4.35; Mt. 6.9; Ef. 4.6; Ap. 1.8)*
>Creador del cielo, la tierra *(Gn. 1.1; Is. 40.28; Ap. 10.6)*
>y de todas las cosas visibles e invisibles. *(Sal. 148; Rom 11.36; Ap. 4.11)*

Creemos en un solo Señor Jesucristo, el Hijo unigénito de Dios,
>concebido del Padre antes de todos los siglos:
>Dios de Dios, Luz de la Luz, Dios verdadero de Dios verdadero,
>Engendrado, no creado, de la misma esencia del Padre, *(Jn. 1.1-2; 3.18; 8.58; 14.9-10; 20.28; Col. 1.15, 17; Heb. 1.3-6)*
>por quien todo fue hecho. *(Jn. 1.3; Col. 1.16)*

Quien por nosotros los hombres, bajó del cielo para nuestra salvación
>y por obra del Espíritu Santo, se encarnó en la virgen María,
>y se hizo hombre. *(Mt. 1.20-23; Jn. 1.14; 6.38; Lc. 19.10)*
>Por nuestra causa fue crucificado en tiempos de Poncio Pilato,
>padeció y fue sepultado. *(Mt. 27.1-2; Mc. 15.24-39, 43-47; Hch. 13.29; Rom 5.8; Heb. 2.10; 13.12)*
>Resucitó al tercer día, según las Escrituras, *(Mc. 16.5-7; Lc. 24.6-8; Hch. 1.3; Rom 6.9; 10.9; 2 Ti. 2.8)*
>ascendió al cielo y está sentado a la derecha del Padre. *(Mc. 16.19; Ef. 1.19-20)*
>Él vendrá de nuevo con gloria,
>para juzgar a los vivos y a los muertos,
>y su Reino no tendrá fin. *(Is. 9.7; Mt. 24.30; Jn. 5.22; Hch. 1.11; 17.31; Rom 14.9; 2 Co. 5.10; 2 Ti. 4.1)*

Creemos en el Espíritu Santo, Señor y dador de vida,
>*(Gn. 1.1-2; Job 33.4; Sal. 104.30; 139.7-8; Lc. 4.18-19; Jn. 3.5-6; Hch. 1.1-2; 1 Co. 2.11; Ap. 3.22)*
>quien procede del Padre y del Hijo, *(Jn. 14.16-18, 26; 15.26; 20.22)*
>y juntamente con el Padre y el Hijo
>recibe la misma adoración y gloria, *(Is. 6.3; Mt. 28.19; 2 Co. 13.14; Ap. 4.8)*
>quien también habló por los profetas. *(Nm. 11.29; Miq. 3.8; Hch. 2.17-18; 2 Pe. 1.21)*

Creemos en la Iglesia santa, católica* y apostólica.
>*(Mt. 16.18; Ef. 5.25-28; 1 Co. 1.2; 10.17; 1 Ti. 3.15; Ap. 7.9)*

Confesamos que hay un sólo bautismo
>y perdón de los pecados, *(Hch. 22.16; 1 Pe. 3.21; Ef. 4.4-5)*
>y esperamos la resurrección de los muertos
>y la vida del siglo venidero. Amén. *(Is. 11.6-10; Miq. 4.1-7; Lc. 18.29-30; Ap. 21.1-5; 21.22-22.5)*

*El término "católica" se refiere a la universalidad de la Iglesia, a través de todos los tiempos y edades, de todas las lenguas y grupos de personas. Se refiere no a una tradición en particular o expresión denominacional (ej. como en la Católica Romana).

APÉNDICE 2

El Credo Niceno en métrica común

Adaptado por Don L. Davis ©2002. Todos los derechos reservados.

Dios el Padre gobierna, Creador de la tierra y los cielos.
¡Si, todas las cosas vistas y no vistas, por Él fueron hechas y dadas!

Nos adherimos a Jesucristo Señor, El único y solo Hijo de Dios
¡Unigénito, no creado, también, Él y nuestro Señor son uno!

Unigénito del Padre, el mismo, en esencia, Dios y Luz;
A través de Él todas las cosas fueron hechas por Dios, en Él fue dada la vida.

Quien es por todos, para salvación, bajó del cielo a la tierra,
Fue encarnado por el poder del Espíritu, y nace de la virgen María.

Quien por nosotros también, fue crucificado, por la mano de Poncio Pilato,
Sufrió, fue enterrado en la tumba, pero al tercer día resucitó otra vez.

De acuerdo al texto sagrado todo esto trató de decir.
Ascendió a los cielos, a la derecha de Dios, ahora sentado está en alto en gloria.

Vendrá de nuevo en gloria a juzgar a los vivos y a los muertos.
El gobierno de Su Reino no tendrá fin, porque reinará como Cabeza.

Adoramos a Dios, el Espíritu Santo, nuestro Señor, conocido como Dador de vida,
Con el Padre y el Hijo es glorificado, Quien por los profetas habló.

Y creemos en una Iglesia verdadera, el pueblo de Dios para todos los tiempos,
Universal en alcance, y edificada sobre la línea apostólica.

Reconociendo un bautismo, para perdón de nuestro pecado,
Esperamos por el día de la resurreción de los muertos que vivirán de nuevo.

Esperamos esos días sin fin, vida en la Era por venir,
¡Cuando el gran reino de Cristo vendrá a la tierra, y la voluntad de Dios será hecha!

Esta canción es adaptada de El Credo Niceno, y preparada en métrica común (8.6.8.6), lo que significa que pueda ser cantada con la métrica de cantos tales como: Sublime gracia, Hay un precioso manantial, Al mundo paz.

APÉNDICE 3

La historia de Dios: Nuestras Raíces Sagradas

Rev. Dr. Don L. Davis

El Alfa y el Omega	Christus Victor	Ven Espíritu Santo	Tu Palabra es verdad	La Gran Confesión	Su vida en nosotros	Vivir en el camino	Renacidos para servir
El Señor Dios es la fuente, sostén y fin de todas las cosas en los cielos y en la tierra. Porque de él, y para él, son todas las cosas. A él sea la gloria por los siglos. Amén. Rom. 11.36.							
EL DRAMA DEL TRINO DIOS — La auto-revelación de Dios en la creación, Israel y Cristo				LA PARTICIPACIÓN DE LA IGLESIA EN EL DRAMA DE DIOS — La fidelidad al testimonio apostólico de Cristo y Su Reino			
El fundamento objetivo: El amor soberano de Dios — Dios narra su obra de salvación en Cristo				La práctica subjetiva: Salvación por gracia mediante la fe — La respuesta de los redimidos por la obra salvadora de Dios en Cristo			
El Autor de la historia	*El Campeón de la historia*	*El Intérprete de la historia*	*El Testimonio de la historia*	*El Pueblo de la historia*	*La Re-creación de la historia*	*La Encarnación de la historia*	*La Continuación de la historia*
El Padre como *Director*	Jesús como *Actor principal*	El Espíritu como *Narrador*	Las Escrituras como *el guión*	Como santos confesores	Como ministros adoradores	Como seguidores peregrinos	Como testigos embajadores
Cosmovisión cristiana	*Identidad* común	*Experiencia* espiritual	*Autoridad* bíblica	*Teología* ortodoxa	*Adoración* sacerdotal	*Discipulado* congregacional	*Testigo* del Reino
Visión teísta y trinitaria	Fundamento Cristo-céntrico	Comunidad llena del Espíritu	Testimonio canónico apostólico	Afirmación del credo antiguo de fe	Reunión semanal de la Iglesia	Formación espiritual colectiva	Agentes activos del Reino de Dios
Soberana voluntad	Representación mesiánica	Consolador Divino	Testimonio inspirado	Repetición verdadera	Gozo sobresaliente	Residencia fiel	Esperanza irresistible
Creador — Verdadero hacedor del cosmos	Recapitulación — *Tipos* y cumplimiento del pacto	Dador de Vida — Regeneración y adopción	Inspiración Divina — La Palabra inspirada de Dios	La confesión de fe — Unión con Cristo	Canto y celebración — Recitación histórica	Supervisión pastoral — Pastoreo del rebaño	Unidad explícita — Amor para los santos
Dueño — Soberano de toda la creación	Revelador — Encarnación de la Palabra	Maestro — Iluminador de la verdad	Historia sagrada — Archivo histórico	Bautismo en Cristo — Comunión de los santos	Homilías y enseñanzas — Proclamación profética	Vida Espiritual — Viaje común a través de las disciplinas espirituales	Hospitalidad radical — Evidencia del reinado de Dios
Gobernador — Controlador bendito de todas las cosas	Redentor — Reconciliador de todas las cosas	Ayudador — Dotación y poder	Teología bíblica — Comentario divino	La regla de fe — El Credo Apostólico y El Credo Niceno	La Cena del Señor — Re-creación dramática	Encarnación — *Anamnesis* y *prolepsis* a través del año litúrgico	Generosidad excesiva — Buenas obras
Cumplidor del pacto — Fiel prometedor	Restaurador — Cristo el vencedor sobre los poderes del mal	Guía — Divina presencia y gloria de Dios	Alimento espiritual — Sustento para el viaje	El Canon Vicentino — Ubicuidad, antigüedad, universalidad	Presagio escatológico — El YA y EL TODAVIA NO	Discipulado efectivo — Formación espiritual en la asamblea de creyentes	Testimonio Evangélico — Haciendo discípulos a todas las personas

APÉNDICE 4

La teología de Christus Victor

Un motivo bíblico para integrar y renovar a la iglesia urbana

Rev. Dr. Don L. Davis

	El Mesías prometido	El Verbo hecho carne	El Hijo del Hombre	El Siervo Sufriente	El Cordero de Dios	El Conquistador victorioso	El reinante Señor en los cielos	El Novio y el Rey que viene
Marco bíblico	La esperanza de Israel sobre el ungido de Jehová quien redimiría a su pueblo	En la persona de Jesús de Nazaret, el Señor ha venido al mundo	Como el rey prometido y el divino Hijo del Hombre, Jesús revela la gloria del Padre y la salvación al mundo	Como inaugurador del Reino, Jesús demuestra el reinado de Dios presente a través de sus palabras, maravillas y obras	Como Sumo Sacerdote y Cordero Pascual, Jesús se ofrece a Dios en nuestro lugar como un sacrificio por los pecados	En su resurrección y ascención a la diestra del Padre, Jesús es proclamado como victorioso sobre el poder del pecado y la muerte	Mientras ahora reina a la diestra del Padre hasta que sus enemigos estén bajo sus pies, Jesús derrama sus beneficios sobre su Iglesia	Pronto el Señor resucitado y ascendido volverá para reunirse con su novia, la Iglesia, para consumar su obra
Referencias bíblicas	Is. 9.6-7 Jr. 23.5-6 Is. 11.1-10	Jn. 1.14-18 Mt. 1.20-23 Flp. 2.6-8	Mt. 2.1-11 Nm. 24.17 Lc. 1.78-79	Mc. 1.14-15 Mt. 12.25-30 Lc. 17.20-21	2 Cor. 5.18-21 Is. 52-53 Jn. 1.29	Ef. 1.16-23 Flp. 2.5-11 Col. 1.15-20	1 Cor. 15-25 Ef. 4.15-16 Hch. 2.32-36	Rom. 14.7-9 Ap. 5.9-13 1 Tes. 4.13-18
La historia de Jesús	El pre-encarnado, unigénito Hijo de Dios en gloria	Su concepción por el Espíritu y su nacimiento por María	Su manifestación a los sabios y al mundo	Sus enseñanzas, expulsión de demonios, milagros y obras portentuosas	Su sufrimiento, crucifixión, muerte y sepultura	Su resurrección, con apariciones a sus testigos y su ascención al Padre	El envío del Espíritu Santo y sus dones, y Cristo en reunión celestial a la diestra del Padre	Su pronto regreso de los cielos a la tierra como Señor y Cristo: la Segunda Venida
Descripción	La promesa bíblica para la simiente de Abraham, el profeta como Moisés, el hijo de David	Dios ha venido a nosotros mediante la encarnación; Jesús revela a la humanidad la gloria del Padre en plenitud	En Jesús, Dios ha mostrado su salvación al mundo entero, incluyendo a los gentiles	En Jesús, el Reino de Dios prometido ha venido visiblemente a la tierra, la cual está atada al diablo, para anular la maldición	Como el perfecto cordero de Dios, Jesús se ofrece a Dios como una ofrenda por el pecado del mundo entero	En su resurrección y ascención, Jesús destruyó la muerte, desarmó a Satanás y anuló la maldición	Jesús es colocado a la diestra del Padre como la Cabeza de la Iglesia, como el primogénito de entre los muertos y el supremo Señor en el cielo	Mientras trabajamos en su cosecha aquí en el mundo, esperamos el regreso de Cristo, el cumplimiento de su promesa
Calendario litúrgico	Adviento	Navidad	Después de epifanía Bautismo y transfiguración	Cuaresma	Semana santa La pasión	La pascua La pascua, el día de ascención, pentecostés	Después de pentecostés Domingo de la Trinidad	Después de pentecostés El día de todos los santos, el reinado de Cristo el Rey
	La venida de Cristo	*El nacimiento de Cristo*	*La manifestación de Cristo*	*El ministerio de Cristo*	*El sufrimiento y la muerte de Cristo*	*La resurrección y ascención de Cristo*	*La reunión celestial de Cristo*	*El reinado de Cristo*
Formación espiritual	Mientras esperamos su regreso, proclamemos la esperanza de Cristo	Oh Verbo hecho carne, que cada corazón le prepare un espacio para morar	Divino Hijo del Hombre, muestra a las naciones tu salvación y gloria	En la persona de Cristo, el poder del reinado de Cristo ha venido a la tierra y a la Iglesia	Que los que compartan la muerte del Señor sean resucitados con Él	Participemos por fe en la victoria de Cristo sobre el poder del pecado, Satanás y la muerte	Ven Espíritu Santo, mora en nosotros y facúltanos para avanzar el Reino de Cristo en el mundo	Vivimos y trabajamos en espera de su pronto regreso, buscando agradarle en todas las cosas

APÉNDICE 5

Christus Victor

Una visión integrada para la vida y el testimonio cristiana

Rev. Dr. Don L. Davis

Para la Iglesia

- La Iglesia es la extensión principal de Jesús en el mundo
- Tesoro redimido del victorioso Cristo resucitado
- *Laos*: El pueblo de Dios
- La nueva creación de Dios: la presencia del futuro
- Lugar y agente del Reino de el ya y el todavía no

Para la teología y la doctrina

- La palabra autoritativa de Cristo: la tradición apostólica: las santas Escrituras
- La Teología como comentario sobre la gran narrativa de Dios
- *Christus Victor* como el marco teológico para el sentido en la vida
- El Credo Niceno: la historia de la triunfante gracia de Dios

Para la vida espiritual

- La presencia y el poder del Espíritu Santo en medio del pueblo de Dios
- Participar en las disciplinas del Espíritu
- Reuniones, leccionario, liturgia y la observancia del año litúrgico
- Vivir la vida del Cristo resucitado en nuestra vida

Para los dones

- La gracia de Dios se dota y beneficia del *Christus Victor*
- Oficios pastorales para la Iglesia
- El Espíritu Santo da soberanamente los dones
- Administración: diferentes dones para el bien común

Christus Victor

*Destructor del mal y la muerte
Restaurador de la creación
Vencedor del hades y del pecado
Aplastador de Satanás*

Para la adoración

- Pueblo de la resurrección: celebración sin fin del pueblo de Dios
- Recordar y participar del evento de Cristo en nuestra adoración
- Escuchar y responder a la palabra
- Transformados en la Cena del Señor
- La presencia del Padre a través del Hijo en el Espíritu

Para la evangelización y las misiones

- La evangelización como la declaración y la demostración del *Christus Victor* al mundo
- El evangelio como la promesa del Reino
- Proclamamos que el Reino de Dios viene en la persona de Jesús de Nazaret
- La Gran Comisión: ir a todas las personas haciendo discípulos de Cristo y su Reino
- Proclamando a Cristo como Señor y Mesías

Para la justicia y la compasión

- Las expresiones amables y generosas de Jesús a través de la Iglesia
- La Iglesia muestra la vida misma del Reino
- La Iglesia demuestra la vida misma del Reino de los cielos aquí y ahora
- Habiendo recibido de gracia, damos de gracia (sin sentido de mérito u orgullo)
- La justicia como evidencia tangible del Reino venidero

A P É N D I C E   6

El Antiguo Testamento testifica de Cristo y Su Reino

Rev. Dr. Don L. Davis

Cristo es visto en el AT:	Promesa y cumplimiento del pacto	Ley moral	Cristofanías	Tipología	Tabernáculo, festival y sacerdocio Levítico	Profecía mesiánica	Promesas de salvación
Pasaje	Gn. 12.1-3	Mt. 5.17-18	Juan 1.18	1 Co. 15.45	Heb. 8.1-6	Mi. 5.2	Is. 9.6-7
Ejemplo	La simiente prometida del pacto Abrahámico	La ley dada en el Monte Sinaí	Comandante del ejército del Señor	Jonás y el gran pez	Melquisedec, como Sumo Sacerdote y Rey	El Siervo Sufriente del Señor	El linaje Justo de David
Cristo como	La simiente de la mujer	El Profeta de Dios	La actual revelación de Dios	El antitipo del drama de Dios	Nuestro eterno Sumo Sacerdote	El Hijo de Dios que vendrá	El Redentor y Rey de Israel
Ilustrado en	Gálatas	Mateo	Juan	Mateo	Hebreos	Lucas y Hechos	Juan y Apocalipsis
Propósito exegético: ve a Cristo	Como el centro del drama sagrado divino	Como el cumplimiento de la Ley	Como quien revela a Dios	Como antitipo de tipos divinos	En el *cultus* de Templo	Como el verdadero Mesías	Como el Rey que viene
Cómo es visto en el NT	Como cumplimiento del juramento de Dios	Como *telos* de la ley	Como la revelación completa, final y superior	Como sustancia detrás de la historia	Como la realidad detrás de las normas y funciones	Como el Reino que está presente	Como el que gobernará sobre el trono de David
Nuestra respuesta en adoración	Veracidad y fidelidad de Dios	La justicia perfecta de Dios	La presencia de Dios entre nosotros	La escritura Inspirada de Dios	La ontología de Dios: su Reino como lo principal y determinante	El siervo ungido y mediador de Dios	La respuesta divina para restaurar la autoridad de Su Reino
Cómo es vindicado Dios	Dios no miente: Él cumple su palabra	Jesús cumple toda justicia	La plenitud de Dios se nos revela en Jesús de Nazaret	El Espíritu habló por los profetas	El Señor ha provisto un mediador para la humanidad	Cada jota y tilde escrita de Él se cumplirá	El mal será aplastado y la creación será restaurada bajo Su Reino

APÉNDICE 7

Resumen del bosquejo de las Escrituras

Rev. Dr. Don L. Davis

1. GÉNESIS - El Principio
   a. Adán
   b. Noé
   c. Abraham
   d. Isaac
   e. Jacob
   f. José

2. ÉXODO - Redención
   a. Esclavitud
   b. Libertad
   c. Ley
   d. Tabernáculo

3. LEVÍTICO - Adoración y compañerismo
   A. Ofrendas, sacrificios
   b. Sacerdotes
   c. Fiestas, festivales

4. NÚMEROS - Servicio y recorrido
   a. Organizados
   b. Errantes

5. DEUTERONOMIO - Obediencia
   a. Moisés repasa la historia y la ley
   b. Leyes civiles y sociales
   c. Pacto palestino
   d. Bendiciones, muerte de Moisés

6. JOSUÉ - Redención (hacia)
   a. Conquistar la tierra
   b. Repartir la tierra
   c. La despedida de Josué

7. JUECES - La liberación de Dios
   a. Desobediencia y juicio
   b. Los doce jueces de Israel
   c. Desobedientes a la ley

8. RUT - Amor
   a. Rut escoge
   b. Rut trabaja
   c. Rut espera
   d. Rut recompensada

9. 1 SAMUEL - Reyes, perspectiva sacerdotal
   a. Elí
   b. Samuel
   c. Saúl
   d. David

10. 2 SAMUEL - David
    a. Rey de Judá (7½ años - Hebrón)
    b. Rey de todo Israel (33 años - Jerusalén)

11. 1 REYES - La gloria de Salomón, la decadencia del reino
    a. Gloria de Salomón
    b. Decadencia del reino
    c. El profeta Elías

12. 2 REYES- El reino dividido
    a. Eliseo
    b. Israel (el reino del norte cae)
    c. Judá (el reino del sur cae)

13. 1 CRÓNICAS - Templo de David
    a. Genealogías
    b. Fin del reino de Saúl
    c. Reino de David
    d. Preparaciones del templo

14. 2 CRÓNICAS - Abandonan el templo y la adoración
    A. Salomón
    B. Reyes de Judá

15. ESDRAS - La minoría (remanente)
    a. Primer retorno del exilio - Zorobabel
    b. Segundo retorno del exilio - Esdras (sacerdote)

16. NEHEMÍAS - Reconstruyendo la fe
    a. Reconstruyen los muros
    b. Avivamiento
    c. Reforma religiosa

17. ESTER - Salvación femenina
    a. Ester
    b. Amán
    c. Mardoqueo
    d. Liberación: Fiesta de Purim

18. JOB - Por qué los rectos sufren
    a. Job el piadoso
    b. Ataque de Satanás
    c. Cuatro amigos filósofos
    d. Dios vive

19. SALMOS - Oración y adoración
    a. Oraciones de David
    b. Sufrimiento piadoso, liberación
    c. Dios trata con Israel
    d. Sufrimiento del pueblo termina con el reinado de Dios
    e. La Palabra de Dios (los sufrimientos y glorioso regreso del Mesías)

20. PROVERBIOS - Sabiduría
    a. Sabiduría y necedad
    b. Salomón
    c. Salomón y Ezequías
    d. Agur
    e. Lemuel

21. ECLESIASTÉS - Vanidad
    a. Experimentación
    b. Observación
    C. Consideración
    e. Lemuel

22. CANTARES - Historia de amor

23. ISAÍAS - La justicia y gracia de Dios
    a. Profecías de castigos
    b. Historia
    c. Profecías de bendiciones

24. JEREMÍAS - El pecado de Judá los lleva a la cautividad babilónica
    a. Jeremías es llamado y facultado
    b. Judá es enjuiciado; cautividad babilónica
    c. Promesa de restauración
    d. Profetiza el juicio infligido
    e. Profetiza contra los gentiles
    f. Resume la cautividad de Judá

25. LAMENTACIONES - Lamento sobre Jerusalén
    a. Aflicción de Jerusalén
    b. Destruida por el pecado
    c. El sufrimiento del profeta
    d. Desolación presente y esplendor pasado
    e. Apelación a Dios por piedad

26. EZEQUIEL - Cautividad y restauración de Israel
    a. Juicio sobre Judá y Jerusalén
    b. Juicio a las naciones gentiles
    c. Israel restaurado; gloria futura de Jerusalén

27. DANIEL - El tiempo de los gentiles
    a. Historia; Nabucodonosor, Beltsasar, Daniel
    b. Profecía

28. OSEAS - Infidelidad
    a. Infidelidad
    b. Castigo
    c. Restauración

29. JOEL - El Día del Señor
    a. Plaga de langostas
    b. Eventos del futuro Día del Señor
    c. Orden del futuro Día del Señor

30. AMÓS - Dios juzga el pecado
    a. Naciones vecinas juzgadas
    b. Israel juzgado
    c. Visiones del futuro juicio
    d. Bendiciones de los juicios pasados sobre Israel

31. ABDÍAS - Destrucción de Edom
    a. Destrucción profetizada
    b. Razones de destrucción

Continuación 31. ABDÍAS
    c. Bendición futura de Israel
    d. Bendiciones de los juicios pasados sobre Israel

32. JONÁS - Salvación a los gentiles
    a. Jonás desobedece
    b. Otros sufren las consecuencias
    c. Jonás castigado
    d. Jonás obedece; miles son salvos
    e. Jonás enojado, sin amor por las almas

33. MIQUEAS - Pecados, juicio y restauración de Israel
    a. Pecado y juicio
    B. Gracia y futura restauración
    c. Apelación y petición

34. NAHÚM - Nínive enjuiciada
    a. Dios detesta el pecado
    b. Juicio de Nínive profetizado
    c. Razones del juicio y destrucción

35. HABACUC - El justo por la fe vivirá
    a. Queja por el pecado tolerado de Judá
    b. Los caldeos los castigarán
    c. Queja contra la maldad de los caldeos
    d. El castigo prometido
    e. Oración por avivamiento; fe en Dios

36. SOFONÍAS - Invasión babilónica, prototipo del Día del Señor
    a. Juicio sobre Judá predice el Gran Día del Señor
    b. Juicio sobre Jerusalén y pueblos vecinos predice el juicio final de las naciones
    c. Israel restaurado después de los juicios

37. HAGEO - Reconstruyen el templo
    a. Negligencia
    b. Valor
    c. Separación
    d. Juicio

38. ZACARÍAS - Las dos venidas de Cristo
    a. Visión de Zacarías
    b. Betel pregunta, Jehová responde
    c. Caída y salvación

39. MALAQUÍAS - Negligencia
    a. Pecados del sacerdote
    b. Pecados del pueblo
    c. Los pocos fieles

Resumen del bosquejo de las Escrituras (continuación)

1. MATEO - Jesús el Rey
   a. La Persona del Rey
   b. La preparación del Rey
   c. La propaganda del Rey
   d. El programa del Rey
   e. La pasión del Rey
   f. El poder del Rey

2. MARCOS - Jesús el Siervo
   a. Juan introduce al Siervo
   b. Dios Padre identifica al Siervo
   c. La tentación, inicio del Siervo
   d. Obra y palabra del Siervo
   e. Muerte, sepultura, resurrección

3. LUCAS - Jesucristo el perfecto Hombre
   a. Nacimiento y familia del Hombre perfecto
   b. El Hombre perfecto probado; su pueblo de nacimiento
   c. Ministerio del Hombre perfecto
   d. Traición, juicio, y muerte del Hombre perfecto
   e. Resurrección del Hombre perfecto

4. JUAN - Jesucristo es Dios
   a. Prólogo - la encarnación
   b. Introducción
   c. Testimonio de Jesús a sus apóstoles
   d. Pasión - testimonio al mundo
   e. Epílogo

5. HECHOS - El Espíritu Santo obrando en la Iglesia
   a. El Señor Jesús obrando por el Espíritu Santo a través de los apóstoles en Jerusalén
   b. En Judea y Samaria
   c. Hasta los confines de la tierra

6. ROMANOS - La Justificación de Dios
   a. Saludos
   b. Pecado y salvación
   c. Santificación
   d. Lucha
   e. Vida llena del Espíritu Santo
   f. Seguridad de la salvación
   g. Apartarse
   h. Sacrificio y servicio
   i. Separación y despedida

7. 1 CORINTIOS - El Señorío de Cristo
   a. Saludos y agradecimiento
   b. Estado moral de los corintios
   c. Concerniente al evangelio
   d. Concerniente a las ofrendas

8. 2 CORINTIOS - El Ministerio en la Iglesia
   a. El consuelo de Dios
   b. Ofrenda para los pobres
   c. Llamamiento del apóstol Pablo

9. GÁLATAS - Justificación por la fe
   a. Introducción
   b. Lo personal - autoridad del apóstol y gloria del evangelio
   c. Lo doctrinal - justificación por la fe
   d. Lo práctico - santificación mediante el Espíritu Santo
   e. Conclusión autografiada y exhortación

10. EFESIOS - La Iglesia de Jesucristo
    a. Lo doctrinal - el llamado celestial a la Iglesia
       Un cuerpo
       Un templo
       Un misterio
    b. Lo práctico - la conducta terrenal de la Iglesia
       Un nuevo hombre
       Una novia
       Un ejército

11. FILIPENSES - Gozo de la vida cristiana
    a. Filosofía de la vida cristiana
    b. Pautas para la vida cristiana
    c. Premios para la vida cristiana
    d. Poder para la vida cristiana

12. COLOSENSES - Cristo la plenitud de Dios
    a. Lo doctrinal - En Cristo los creyentes están completos
    b. Lo práctico - La vida de Cristo derramada sobre los creyentes, y a través de ellos

13. 1 TESALONICENSES - La segunda venida de Cristo:
    a. Es una esperanza inspiradora
    b. Es una esperanza operadora
    c. Es una esperanza purificadora
    d. Es una esperanza alentadora
    e. Es una esperanza estimulante y resplandeciente

14. 2 TESALONICENSES - La segunda venida de Cristo
    a. Persecución de los creyentes ahora, el juicio futuro de los impíos (en la venida de Cristo)
    b. Programa del mundo en conexión con la venida de Cristo
    c. Asuntos prácticos asociados con la venida de Cristo

15. 1 TIMOTEO - Gobierno y orden en la iglesia local
    a. La fe de la iglesia
    b. Oración pública y el lugar de las mujeres en la iglesia
    c. Oficiales en la iglesia
    d. Apostasía en la iglesia
    e. Responsabilidades de los oficiales en la iglesia

16. 2 TIMOTEO - Lealtad en los días de apostasía
    a. Aflicciones por el evangelio
    b. Activos en servicio
    c. Apostasía venidera; autoridad de las Escrituras
    d. Alianza al Señor

17. TITO - La iglesia ideal del Nuevo Testamento
    a. La Iglesia es una organización
    b. La Iglesia debe enseñar y predicar la Palabra de Dios
    c. La Iglesia debe hacer buenas obras

18. FILEMÓN - Revelar el amor de Cristo y enseñar el amor fraternal
    a. Saludo afable a Filemón y su familia
    b. Buena reputación de Filemón
    c. Ruego humilde por Onésimo
    d. Ilustración inocente de imputación
    E. Peticiones generales

19. HEBREOS - Superioridad de Cristo
    a. Lo doctrinal - Cristo mejor que el A.T.
    b. Lo práctico - Cristo trae mejores beneficios

20. SANTIAGO - Ética del cristianismo
    a. Fe probada
    b. Control de la lengua
    c. Sobre la mundanalidad
    d. De la venida del Señor

21. 1 PEDRO - Esperanza cristiana en tiempo de persecución y prueba
    a. Sufrimiento y seguridad
    B. Sufrimiento y la Biblia
    c. Sufrimiento de Cristo
    d. Sufrimiento y la segunda venida de Cristo

22. 2 PEDRO - Advertencia contra los falsos maestros
    a. Crecimiento en la gracia cristiana da seguridad
    b. Autoridad de la Biblia
    c. Apostasía
    d. Actitud hacia el retorno de Cristo
    e. Agenda de Dios en el mundo
    f. Advertencia a los creyentes

23. 1 JUAN - La familia de Dios
    a. Dios es luz
    b. Dios es amor
    c. Dios es vida

24. 2 JUAN - Advertencia a no recibir engañadores
    a. Caminar en la verdad
    b. Amarse unos a otros
    c. No recibir engañadores
    d. Gozo en la comunión

25. 3 JUAN - Amonestación a recibir a los verdaderos creyentes
    a. Gayo, hermano en la iglesia
    b. Oposición de Diótrefes
    c. Buen testimonio de Demetrio

26. JUDAS - Contendiendo por la Fe
    a. Ocasión de la epístola
    b. Acontecimientos de apostasía
    c. Ocupación de los creyentes en los días de la apostasía

27. APOCALIPSIS - La revelación del Cristo glorificado
    a. Cristo en gloria
    b. Posesión de Jesucristo - la Iglesia en el mundo
    c. Programa de Jesucristo - la escena en el cielo
    d. Los siete sellos
    e. Las siete trompetas
    f. Personas importantes en los últimos días
    g. Las siete copas
    h. La caída de Babilonia
    i. El estado eterno

APÉNDICE 8

Desde antes hasta después del tiempo:
El plan de Dios y la historia humana
*Adaptado de Suzanne de Dietrich. **Desarrollo del Propósito de Dios**. Philadelphia: Westminster Press, 1976.*

I. Antes del tiempo (La eternidad pasada) 1 Co. 2.7
- A. El eterno Dios trino
- B. El propósito eterno de Dios
- C. El misterio de la iniquidad
- D. Los principados y potestades

II. El inicio del tiempo (La creación y caída) Gn. 1.1
- A. La Palabra creadora
- B. La humanidad
- C. La Caída
- D. El reinado de la muerte y primeras señales de la gracia

III. El despliegue de los tiempos (El plan de Dios revelado a través de Israel) Gál. 3.8
- A. La promesa (patriarcas)
- B. El ÉXODO y el pacto del Sinaí
- C. La Tierra prometida
- D. La ciudad, el templo, y el trono (profeta, sacerdote, y rey)
- E. El exilio
- F. El remanente

IV. La plenitud del tiempo (La encarnación del Mesías) Gál. 4.4-5
- A. El Rey viene a su Reino
- B. La realidad presente de su reino
- C. El secreto del Reino: Ya está aquí, pero todavía no
- D. El Rey crucificado
- E. El Señor resucitado

V. Los últimos tiempos (El derramamiento del Espíritu Santo) Hch. 2.16-18
- A. En medio de los tiempos: La Iglesia como el anticipo del Reino
- B. La Iglesia como el agente del Reino
- C. El conflicto entre el Reino de la luz y el reino de las tinieblas

VI. El cumplimiento de los tiempos (El retorno de Cristo) Mt. 13.40-43
- A. La Segunda Venida de Cristo
- B. El juicio
- C. La consumación de su Reino

VII. Después del tiempo (La eternidad futura) 1 Co. 15.24-28
- A. El Reino traspasado a Dios el Padre
- B. Dios como el todo en todo

Desde antes hasta después del tiempo
Bosquejo de las Escrituras sobre los puntos más importantes

I. Antes del tiempo (La eternidad pasada)

1 Co. 2.7 - Mas hablamos sabiduría de Dios en misterio, la sabiduría oculta, *la cual Dios predestinó antes de los siglos* para nuestra gloria (compárese con Tito 1.2).

II. El inicio del tiempo (La creación y caída)

Gn. 1.1 - *En el principio*, Dios creó los cielos y la tierra.

III. El despliegue de los tiempos (El plan de Dios revelado a través de Israel)

Gál. 3.8 - Y la Escritura, previendo que Dios había de justificar por la fe a los gentiles, *dio de antemano la buena nueva a Abraham*, diciendo: En ti serán benditas todas las naciones (compárese con Rom 9.4-5).

IV. La plenitud del tiempo (La encarnación del Mesías)

Gál. 4.4-5 - *Pero cuando vino el cumplimiento del tiempo*, Dios envió a su Hijo, nacido de mujer y nacido bajo la ley, para que redimiese a los que estaban bajo la ley, a fin de que recibiésemos la adopción de hijos.

V. Los últimos tiempos (El derramamiento del Espíritu Santo)

Hch. 2.16-18 - Mas esto es lo dicho por el profeta Joel: *Y en los postreros días*, dice Dios, derramaré de mi Espíritu sobre toda carne, y vuestros hijos y vuestras hijas profetizarán; vuestros jóvenes verán visiones, y vuestros ancianos soñarán sueños; y de cierto sobre mis siervos y sobre mis siervas en aquellos días derramaré de mi Espíritu, y profetizarán.

VI. El cumplimiento de los tiempos (La Segunda Venida de Cristo)

Mt. 13.40-43 - De manera que como se arranca la cizaña, y se quema en el fuego, *así será en el fin de este siglo*. Enviará el Hijo del Hombre a sus ángeles, y recogerán de su reino a todos los que sirven de tropiezo, y a los que hacen iniquidad, y los echarán en el horno de fuego; allí será el lloro y el crujir de dientes. Entonces los justos resplandecerán como el sol en el reino de su Padre. El que tiene oídos para oír, oiga.

VII. Después del tiempo (La eternidad futura)

1 Co. 15.24-28 - Luego el fin, cuando entregue el reino al Dios y Padre, cuando haya suprimido todo dominio, toda autoridad y potencia. Porque preciso es que él reine hasta que haya puesto a todos sus enemigos debajo de sus pies. Y el postrer enemigo que será destruido es la muerte. Porque todas las cosas las sujetó debajo de sus pies. Y cuando dice que todas las cosas han sido sujetadas a él, claramente se exceptúa aquel que sujetó a él todas las cosas. Pero luego que todas las cosas le estén sujetas, entonces también el Hijo mismo se sujetará al que le sujetó a él todas las cosas, para que Dios sea todo en todos.

APÉNDICE 9
"Hay un río"

Identificando las corrientes del auténtico re-avivamiento de la comunidad cristiana en la ciudad[1]

Rev. Dr. Don L. Davis • Salmo 46.4 - Del río sus corrientes alegran la ciudad de Dios, el santuario de las moradas del Altísimo.

Contribuyentes de la historia auténtica de la fe bíblica			
Identidad bíblica reafirmada	*Espiritualidad urbana reavivada*	*Legado histórico restaurado*	*Ministerio del Reino re-enfocado*
La Iglesia es una	La Iglesia es santa	La Iglesia es católica (universal)	La Iglesia es apostólica
Un llamado a la fidelidad bíblica *reconociendo las Escrituras como la raíz y el cimiento de la visión cristiana*	Un llamado a vivir como peregrinos y extranjeros como pueblo de Dios *definiendo el discipulado cristiano auténtico como la membresía fiel entre el pueblo de Dios*	Un llamado a nuestras raíces históricas y a la comunidad *confesando la histórica identidad común y la continuidad de la auténtica fe cristiana*	Un llamado a afirmar y expresar la comunión global de los santos *expresando cooperación local y colaboración global con otros creyentes*
Un llamado a una identidad mesiánica del Reino *re-descubriendo la historia del Mesías prometido y su Reino en Jesús de Nazaret*	Un llamado a la libertad, poder y plenitud del Espíritu Santo *caminando en santidad, poder, dones, y libertad del Espíritu Santo en el cuerpo de Cristo*	Un llamado a una afinidad de credo *teniendo El Credo Niceno como la regla de fe de la ortodoxia histórica*	Un llamado a la hospitalidad radical y las buenas obras *demostrando la ética del Reino con obras de servicio, amor y justicia*
Un llamado a la fe de los apóstoles *afirmando la tradición apostólica como la base autoritaria de la esperanza cristiana*	Un llamado a una vitalidad litúrgica, sacramental y doctrinal *experimentando la presencia de Dios en el contexto de la adoración, ordenanzas y enseñanza*	Un llamado a la autoridad eclesiástica *sometiéndonos a los dotados siervos de Dios en la Iglesia como co-pastores con Cristo en la fe verdadera*	Un llamado al testimonio profético y completo *proclamando a Cristo y su Reino en palabra y hechos a nuestros vecinos y toda gente*

[1] *Este esquema es una adaptación y está basada en la introspección de la declaración* **El Llamado a Chicago** *en mayo de 1977, donde varios líderes académicos evangélicos y pastores se reunieron para discutir la relación entre el evangelicalismo moderno y la fe del cristianismo histórico.*

APÉNDICE 10

Esquema para una teología del Reino y la Iglesia

Instituto Ministerial Urbano

El reinado del único, verdadero, soberano, y trino Dios, el SEÑOR Dios, YHWH (Jehová), Dios Padre, Hijo y Espíritu Santo		
El Padre Amor - 1 Juan 4.8 Creador del cielo y la tierra y todas las cosas visibles e invisibles	**El Hijo** Fe - Heb. 12.2 Profeta, Sacerdote, y Rey	**El Espíritu** Esperanza - Rom. 15.13 Señor de la Iglesia
Creación Todo lo que existe a través de la acción creadora de Dios.	**Reino** El reino de Dios expresado en el gobierno del Mesías, su Hijo Jesús.	**Iglesia** La comunidad santa y apostólica que sirve como testigo (Hech. 28.31) y anticipo (Col. 1.12; Sant. 1.18; 1 Ped. 2.9; Apoc. 1.6) del reino de Dios.
Rom. 8.18-21 → El eterno Dios, soberano en poder, infinito en sabiduría, perfecto en santidad y amor incondicional, es la fuente y fin de todas las cosas.	**Libertad** (Esclavitud) Jesús les respondió: De cierto, de cierto os digo, que todo aquel que hace pecado, esclavo es del pecado. Y el esclavo no queda en la casa para siempre; el hijo sí queda para siempre. Así que, si el Hijo os libertare, seréis verdaderamente libres. - Juan 8.34-36	*La Iglesia es una comunidad apostólica donde la Palabra es predicada correctamente, por consiguiente es una comunidad de:* **Llamado** - Estad, pues, firmes en la libertad con que Cristo nos hizo libres, y no estéis otra vez sujetos al yugo de esclavitud. - Gál. 5.1 (comparar con Rom. 8.28-30; 1 Cor. 1.26-31; Ef. 1.18; 2 Tes. 2.13-14; Jud. 1.1) **Fe** - «Porque si no creéis que yo soy, en vuestros pecados moriréis». . . . Dijo entonces Jesús a los judíos que habían creído en él: Si vosotros permaneciereis en mi palabra, seréis verdaderamente mis discípulos; y conoceréis la verdad, y la verdad os hará libres. - Juan 8.24b, 31-32 (comparar con Sal. 119.45; Rom. 1.17; 5.1-2; Ef. 2.8-9; 2 Tim. 1.13-14; Hech. 2.14-15; Sant. 1.25) **Testimonio** - El Espíritu del Señor está sobre mí, por cuanto me ha ungido para dar buenas nuevas a los pobres; me ha enviado a sanar a los quebrantados de corazón; a pregonar libertad a los cautivos, y vista a los ciegos; a poner en libertad a los oprimidos; a predicar el año agradable del Señor. - Luc. 4.18-19 (Ver Lev. 25.10; Prov. 31.8; Mat. 4.17; 28.18-20; Mar. 13.10; Hech. 1.8; 8.4, 12; 13.1-3; 25.20; 28.30-31)
Apoc. 21.1-5 → ¡Oh profundidad de las riquezas de la sabiduría y de la ciencia de Dios! ¡Cuán insondables son sus juicios, e inescrutables sus caminos! Porque ¿quién entendió la mente del Señor? ¿O quién fue su consejero? ¿O quién le dio a él primero, para que le fuese recompensado? Porque de él, y por él, y para él, son todas las cosas. A él sea la gloria por los siglos. Amén. - Rom. 11.33-36 (comparar con 1 Cor. 15.23-28.)	**Entereza** (física y emocional) (Enfermedad) Mas él herido fue por nuestras rebeliones, molido por nuestros pecados; el castigo de nuestra paz fue sobre él, y por su llaga fuimos nosotros curados. - Isa. 53.5	*La Iglesia es la comunidad donde las ordenanzas son administradas correctamente, por lo tanto es una comunidad de:* **Adoración** - Mas a Jehová vuestro Dios serviréis, y él bendecirá tu pan y tus aguas; y yo quitaré toda enfermedad de en medio de ti. - Ex. 23.25 (comparar con Sal. 147.1-3; Hech. 12.28; Col. 3.16; Apoc. 15.3-4; 19.5) **Pacto** - Y nos atestigua lo mismo el Espíritu Santo; porque después de haber dicho: Este es el pacto que haré con ellos después de aquellos días, dice el Señor: Pondré mis leyes en sus corazones, y en sus mentes las escribiré, añade: Y nunca más me acordaré de sus pecados y transgresiones. - Hech. 10.15-17 (comparar con Isa. 54.10-17; Ezeq. 34.25-31; 37.26-27; Mal. 2.4-5; Luc. 22.20; 2 Cor. 3.6; Col. 3.15; Heb. 8.7-13; 12.22-24; 13.20-21) **Presencia** - En quien vosotros también sois juntamente edificados para morada de Dios en el Espíritu. - Ef. 2.22 (comparar con Ex. 40.34-38; Ezeq. 48.35; Mat. 18.18-20)
Isa. 11.6-9 → Morará el lobo con el cordero, y el leopardo con el cabrito se acostará; el becerro y el león y la bestia doméstica andarán juntos, y un niño los pastoreará. La vaca y la osa pacerán, sus crías se echarán juntas; y el león como el buey comerá paja. Y el niño de pecho jugará sobre la cueva del áspid, y el recién destetado extenderá su mano sobre la caverna de la víbora. No harán mal ni dañarán en todo mi santo monte; porque la tierra será llena del conocimiento de Jehová, como las aguas cubren el mar.	**Justicia** (Egoísmo) He aquí mi siervo, a quien he escogido; mi Amado, en quien se agrada mi alma; pondré mi Espíritu sobre él, y a los gentiles anunciará juicio. No contenderá, ni voceará, ni nadie oirá en las calles su voz. La caña cascada no quebrará, y el pábilo que humea no apagará, hasta que saque a victoria el juicio. - Mat. 12.18-20	*La Iglesia es una comunidad santa donde la disciplina es aplicada, por lo tanto es una comunidad de:* **Reconciliación** - Porque él es nuestra paz, que de ambos pueblos hizo uno, derribando la pared intermedia de separación, aboliendo en su carne las enemistades, la ley de los mandamientos expresados en ordenanzas, para crear en sí mismo de los dos un solo y nuevo hombre, haciendo la paz, y mediante la cruz reconciliar con Dios a ambos en un solo cuerpo, matando en ella las enemistades. Y vino y anunció las buenas nuevas de paz a vosotros que estabais lejos, y a los que estaban cerca; porque por medio de él los unos y los otros tenemos entrada por un mismo Espíritu al Padre. - Ef. 2.14-18 (comparar con Ex. 23.4-9; Lev. 19.34; Deut. 10.18-19; Ezeq. 22.29; Miq. 6.8; 2 Cor. 5.16-21) **Padecimientos** - Puesto que Cristo ha padecido por nosotros en la carne, vosotros también armaos del mismo pensamiento; pues quien ha padecido en la carne, terminó con el pecado, para no vivir el tiempo que resta en la carne, conforme a las concupiscencias de los hombres, sino conforme a la voluntad de Dios. - 1 Ped. 4.1-2 (comparar con Luc. 6.22; 10.3; Rom. 8.17; 2 Tim. 2.3; 3.12; 1 Ped. 2.20-24; Heb. 5.8; 13.11-14) **Servicio** - Entonces Jesús, llamándolos, dijo: Sabéis que los gobernantes de las naciones se enseñorean de ellas, y los que son grandes ejercen sobre ellas potestad. Mas entre vosotros no será así, sino que el que quiera hacerse grande entre vosotros será vuestro servidor, y el que quiera ser el primero entre vosotros será vuestro siervo. - Mat. 20.25-27 (comparar con 1 Juan 4.16-18; Gál. 2.10)

APÉNDICE 11

Viviendo en el Reino del YA y EL TODAVÍA NO

Rev. Dr. Don L. Davis

El Espíritu: La promesa de la herencia (***arrabón***)

La Iglesia: El anticipo (***aparqué***) del Reino

"En Cristo": La vida rica (***en Cristós***) que compartimos como ciudadanos del Reino

Enemigo interno: La carne (*sarx*) y la naturaleza del pecado

Enemigo externo: El mundo (*kósmos*), los sistemas de avaricia, lujuria, y el orgullo

Enemigo infernal: El diablo (*kakós*), el espíritu incitador de la mentira y el miedo

Interpretación Judía del tiempo

La era presente   La era venidera

La venida del Mesías

La restauración de Israel

El fin de la opresión gentil

El retorno de la tierra a la gloria edénica

Conocimiento universal del Señor

APÉNDICE 12

Jesús de Nazaret: La presencia del futuro

Rev. Dr. Don L. Davis

Glorificación: Cielos nuevos y tierra nueva

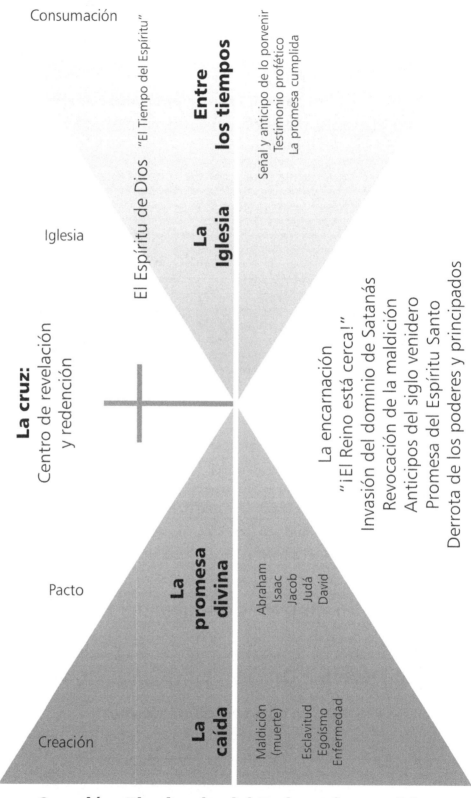

Consumación

Iglesia

Pacto

Creación

El Espíritu de Dios "El Tiempo del Espíritu"

Entre los tiempos

Señal y anticipo de lo porvenir
Testimonio profético
La promesa cumplida

La Iglesia

La cruz:
Centro de revelación y redención

La encarnación
"¡El Reino está cerca!"
Invasión del dominio de Satanás
Revocación de la maldición
Anticipos del siglo venidero
Promesa del Espíritu Santo
Derrota de los poderes y principados

La promesa divina

Abraham
Isaac
Jacob
Judá
David

La caída

Maldición (muerte)

Esclavitud
Egoísmo
Enfermedad

Creación: El reinado del Todopoderoso Dios

APÉNDICE 13

Tradiciones

(Gr. Paradosis)

Rev. Dr. Don L. Davis y Rev. Terry G. Cornett

Definición de la concordancia Strong

Paradosis. Transmisión de un precepto; específicamente, la ley tradicional judía. Se refiere a una ordenanza o tradición.

Explicación del diccionario Vine

Denota "una tradición", y he allí, por atributo específico de palabras, (a) "las enseñanzas de los rabinos", . . . (b) "enseñanza apostólica", . . . de las instrucciones concernientes a la asamblea de creyentes, de la doctrina cristiana en general . . . de las instrucciones concernientes a la conducta diaria.

1. **El concepto de la tradición en la Escritura es esencialmente positivo.**

   Jer. 6.16 (LBLA) - Así dice el SEÑOR: Paraos en los caminos y mirad, y preguntad por los senderos antiguos cuál es el buen camino, y andad por él; y hallaréis descanso para vuestras almas. Pero dijeron: "No andaremos en él" (compare con Éxo. 3.15; Jer. 2.17; 1 Rey. 8.57-58; Sal. 78.1-6).

   2 Cr. 35.25 - Y Jeremías endechó en memoria de Josías. Todos los cantores y cantoras recitan esas lamentaciones sobre Josías hasta hoy; y las tomaron por norma para endechar en Israel, las cuales están escritas en el libro de Lamentaciones (compare con Gn. 32.32; Jer. 11.38-40).

   Jer. 35.14-19 (LBLA) - Las palabras de Jonadab, Hijo de Recab, que mandó a sus hijos de no beber vino, son guardadas. Por eso no beben vino hasta hoy, porque han obedecido el mandato de su padre. Pero yo os he hablado repetidas veces, con todo no me habéis escuchado. También os he enviado a todos mis siervos los profetas, enviándolos repetidas veces, a deciros: "Volveos ahora cada uno de vuestro mal camino, enmendad vuestras obras y no vayáis tras otros dioses para adorarlos, y habitaréis en la tierra que os he dado, a vosotros y a vuestros padres; pero no inclinasteis vuestro oído, ni me escuchasteis. Ciertamente los hijos de Jonadab, Hijo de Recab, han guardado el mandato que su padre les ordenó, pero este pueblo no me ha escuchado". Por tanto así dice el SEÑOR, Dios de los

Tradiciones (continuación)

ejércitos, el Dios de Israel: "He aquí, traigo sobre Judá y sobre todos los habitantes de Jerusalén toda la calamidad que he pronunciado contra ellos, porque les hablé, pero no escucharon, y los llamé, pero no respondieron". Entonces Jeremías dijo a la casa de los recabitas: Así dice el SEÑOR de los ejércitos, el Dios de Israel: "Por cuanto habéis obedecido el mandato de vuestro padre Jonadab, guardando todos sus mandatos y haciendo conforme a todo lo que él os ordenó, por tanto, así dice el SEÑOR de los ejércitos, el Dios de Israel: 'A Jonadab, Hijo de Recab, no le faltará hombre que esté delante de mí todos los días'".

2. La tradición santa es maravillosa; pero no toda tradición es santa.

Toda tradición debe ser evaluada individualmente por su fidelidad a la Palabra de Dios y su eficacia en ayudarnos a mantener la obediencia al ejemplo de Cristo y sus enseñanzas.[1] En los Evangelios, Jesús frecuentemente reprendía a los fariseos por establecer tradiciones que anulaban, en lugar de afirmar, los mandamientos de Dios.

Mc. 7.8 - Porque dejando el mandamiento de Dios, os aferráis a la tradición de los hombres (compare con Mt. 15.2-6; Mc. 7.13).

Col. 2.8 - Mirad que nadie os engañe por medio de filosofías y huecas sutilezas, según las tradiciones de los hombres, conforme a los rudimentos del mundo, y no según Cristo.

3. Sin la plenitud del Espíritu Santo y la constante edificación, que nos es provista por la Palabra de Dios, la tradición inevitablemente nos llevará al formalismo muerto.

Todos los que somos espirituales, de igual manera, debemos ser llenos del Espíritu Santo: Del poder y guía del único que provee a toda congregación e individuo un sentido de libertad y vitalidad en todo lo que practicamos y creemos. Sin embargo, cuando las prácticas y enseñanzas de una tradición dejan de ser inyectadas por el poder del Espíritu Santo y la Palabra de Dios, la tradición pierde su efectividad; y podría llegar a ser contraproducente a nuestro discipulado en Jesucristo.

Ef. 5.18 - No os embriaguéis con vino, en lo cual hay disolución; antes bien sed llenos del Espíritu.

[1] *"Todo Protestante insiste que estas tradiciones tienen que ser siempre probadas por las Escrituras y que nunca pueden poseer una autoridad apostólica independiente sobre o a la par de la Escritura" (J. Van Engen, Tradition,* **Evangelical Dictionary of Theology,** *Walter Elwell, Gen. ed.). Nosotros añadimos que la Escritura es la misma "tradición autoritativa" por la que todas las demás tradiciones son evaluadas. Ver la 4ª pág. de este apéndice: "Apéndice A, Los fundadores de la tradición: Tres niveles de autoridad cristiana".*

Gál. 5.22-25 - Mas el fruto del Espíritu es amor, gozo, paz, paciencia, benignidad, bondad, fe, mansedumbre, templanza; contra tales cosas no hay ley. Pero los que son de Cristo han crucificado la carne con sus pasiones y deseos. Si vivimos por el Espíritu, andemos también por el Espíritu.

2 Co. 3.5-6 (NVI) - No es que nos consideremos competentes en nosotros mismos. Nuestra capacidad viene de Dios. Él nos ha capacitado para ser servidores de un nuevo pacto, no el de la letra sino el del Espíritu; porque la letra mata, pero el Espíritu da vida.

4. La fidelidad a la tradición apostólica (enseñando y modelando) es la esencia de la madurez cristiana.

2 Ti. 2.2 - Lo que has oído de mí ante muchos testigos, esto encarga a hombres fieles que sean idóneos para enseñar también a otros.

1 Co. 11.1-2 (LBLA) - Sed imitadores de mí, como también yo lo soy de Cristo. Os alabo porque en todo os acordáis de mí y guardáis las tradiciones con firmeza, tal como yo os las entregué (compare con 1 Co. 4.16-17, 2 Ti. 1.13-14, 2 Te. 3.7-9, Fil. 4.9).

1 Co. 15.3-8 (LBLA) - Porque yo os entregué en primer lugar lo mismo que recibí: que Cristo murió por nuestros pecados, conforme a las Escrituras; que fue sepultado y que resucitó al tercer día, conforme a las Escrituras; que se apareció a Cefas y después a los doce; luego se apareció a más de quinientos hermanos a la vez, la mayoría de los cuales viven aún, pero algunos ya duermen; después se apareció a Jacobo, luego a todos los apóstoles, y al último de todos, como a uno nacido fuera de tiempo, se me apareció también a mí.

5. El apóstol Pablo a menudo incluye una apelación a la tradición como apoyo de las prácticas doctrinales.

1 Co. 11.16 - Con todo eso, si alguno quiere ser contencioso, nosotros no tenemos tal costumbre, ni las iglesias de Dios (compare con 1 Co. 1.2, 7.17, 15.3).

Tradiciones (continuación)

> 1 Co. 14.33-34 (LBLA) - Porque Dios no es Dios de confusión, sino de paz, como en todas las iglesias de los santos. Las mujeres guarden silencio en las iglesias, porque no les es permitido hablar, antes bien, que se sujeten como dice también la ley.

6. Cuando una congregación usa la tradición recibida para mantenerse fiel a la "Palabra de Dios", es felicitada por los apóstoles.

> 1 Co. 11.2 (LBLA) - Os alabo porque en todo os acordáis de mí y guardáis las tradiciones con firmeza, tal como yo os las entregué.

> 2 Ts. 2.15 - Así que, hermanos, estad firmes, y retened la doctrina que habéis aprendido, sea por palabra, o por carta nuestra.

> 2 Ts. 3.6 (BLS) - Hermanos míos, con la autoridad que nuestro Señor Jesucristo nos da, les ordenamos que se alejen de cualquier miembro de la iglesia que no quiera trabajar ni viva de acuerdo con la enseñanza que les dimos.

Apéndice A

Los fundadores de la tradición: Tres niveles de autoridad cristiana

Éxo. 3.15 - Además dijo Dios a Moisés: Así dirás a los hijos de Israel: Jehová, el Dios de vuestros padres, el Dios de Abraham, Dios de Isaac y Dios de Jacob, me ha enviado a vosotros. Este es mi nombre para siempre; con él se me recordará por todos los siglos.

1. La Tradición Autoritativa: Los apóstoles y los profetas (las Santas Escrituras)

> Ef. 2.19-21 - *Así que ya no sois extranjeros ni advenedizos, sino conciudadanos de los santos, y miembros de la familia de Dios, edificados sobre el fundamento de los apóstoles y profetas, siendo la principal piedra del ángulo Jesucristo mismo, en quien todo el edificio, bien coordinado, va creciendo para ser un templo santo en el Señor.*

~ El Apóstol Pablo

Jehová: Se relaciona con el verbo "hayah", que significa "ser". Su pronunciaci n suena similar a la forma verbal de Ex. 3.14, donde se traduce como "Yo soy". Jehov es la transcripci n de las consonantes hebreas de YHWH. En inglés, se está usando la forma poética YAHWEH. Algunas traducciones hispanas han adoptado "Yavéh", otras usan SEÑOR. Los jud os remplazan YHWH con Adonai ya que la consideran muy santa para ser emitida.

Tradiciones (continuación)

El testimonio ocular de la revelación y hechos salvadores de Jehová, primero en Israel, y finalmente en Jesucristo el Mesías, une a toda persona, en todo tiempo, y en todo lugar. Es la tradición autoritativa por la que toda tradición posterior es juzgada.

2. La Gran Tradición: Los concilios colectivos y sus credos[2]

Lo que ha sido creído en todo lugar, siempre y por todos.

~ Vicente de Lérins

[2]*Ver la 7ª página de este apéndice: Apéndice B: "Definiendo la Gran Tradición"*

"La Gran Tradición" es la doctrina central (el dogma) de la Iglesia. Representa la enseñanza de la Iglesia, tal como la ha entendido la Tradición Autoritativa (las Santas Escrituras), y resume aquellas verdades esenciales que los cristianos de todos los siglos han confesado y creído. La Iglesia (Católica, Ortodoxa, y Protestante)[3] se une a estas proclamaciones doctrinales. La adoración y teología de la Iglesia reflejan este dogma central, el cual encuentra su conclusión y cumplimiento en la persona y obra del Señor Jesucristo. Desde los primeros siglos, los cristianos hemos expresado esta devoción a Dios en el calendario de la Iglesia; un patrón anual de adoración que resume y da un nuevo reconocimiento a los eventos en la vida de Cristo.

[3]*Aun los Protestantes más radicales de la reforma (los anabaptistas) quienes fueron los más renuentes en abrazar los credos como instrumentos dogmáticos de fe, no estuvieron en desacuerdo con el contenido esencial que se hallaban en los mismos. "Ellos asumieron el Credo Apostólico–lo llamaban 'La Fe,' **Der Glaube**, tal como lo hizo la mayoría de gente". Lea John Howard Yoder, *Preface to Theology: Christology and Theological Method*. Grand Rapids: Brazos Press, 2002. Pág. 222-223.

3. En tradiciones eclesiásticas específicas: Los fundadores de denominaciones y órdenes religiosas

La Iglesia Presbiteriana (U.S.A.) tiene aproximadamente 2.5 millones de miembros, 11.200 congregaciones y 21.000 ministros ordenados. Los presbiterianos trazan su historia desde el siglo XVI y la Reforma Protestante. Nuestra herencia, y mucho de lo que creemos, se inició con el Abogado francés Juan Calvino (1509-1564), quien cristalizó en sus escritos mucho del pensamiento reformado que se había iniciado antes de él.

~ La Iglesia Presbiteriana, U.S.A.

Los cristianos han expresado su fe en Jesucristo a través de movimientos y tradiciones que elijen y expresan la Tradición Autoritativa y la Gran Tradición de manera única. Por ejemplo, los movimientos católicos hicieron surgir personajes como Benedicto,

Tradiciones (continuación)

Francisco, o Dominico; y los protestantes hicieron surgir personajes como Martín Lutero, Juan Calvino, Ulrich Zwingli, y Juan Wesley. Algunas mujeres fundaron movimientos vitales de la fe cristiana (por ejemplo, Aimee Semple McPherson de la Iglesia Cuadrangular); también algunas minorías (por ejemplo, Richard Allen de la Iglesia Metodista Episcopal; o Carlos H. Masón de la Iglesia de Dios en Cristo, quien ayudó al crecimiento de las Asambleas de Dios); todos ellos intentaron expresar la Tradición Autoritativa y la Gran Tradición de manera consistente, de acuerdo a su tiempo y expresión.

La aparición de movimientos vitales y dinámicos de fe, en diferentes épocas, entre diferentes personas, revela la nueva obra del Espíritu Santo a través de la historia. Por esta razón, dentro del catolicismo se han levantado nuevas comunidades como los benedictinos, franciscanos, y dominicanos; y fuera del catolicismo, han nacido denominaciones nuevas (luteranos, presbiterianos, metodistas, Iglesia de Dios en Cristo, etc.). Cada una de estas tradiciones específicas tiene "fundadores", líderes claves, de quienes su energía y visión ayudan a establecer expresiones y prácticas de la fe cristiana. Por supuesto, para ser legítimos, estos movimientos tienen que agregarse fielmente a la Tradición Autoritativa y a la Gran Tradición, y expresar su significado. Los miembros de estas tradiciones específicas, abrazan sus propias prácticas y patrones de espiritualidad; pero estas características, no necesariamente dirigen a la Iglesia en su totalidad. Ellas representan las expresiones singulares del entendimiento y la fidelidad de esa comunidad a las Grandes y Autoritativas Tradiciones.

Ciertas tradiciones buscan expresar y vivir fielmente la Gran y Autoritativa Tradición a través de su adoración, enseñanza, y servicio. Buscan comunicar el evangelio claramente, en nuevas culturas y sub-culturas, hablando y modelando la esperanza de Cristo en medio de situaciones nacidas de sus propias preguntas, a la luz de sus propias circunstancias. Estos movimientos, por lo tanto, buscan contextualizar la Tradición Autoritativa, de manera que conduzcan en forma fiel y efectiva a nuevos grupos de personas a la fe en Jesucristo; de esta manera, incorporan a los creyentes a la comunidad de la fe, la cual obedece sus enseñanzas y da testimonio de Dios a otros.

Tradiciones (continuación)

Apéndice B

Definiendo la "Gran Tradición"

La Gran Tradición (algunas veces llamada "Tradición Clásica Cristiana") es definida por Robert E. Webber de la siguiente manera:

[Es] el bosquejo amplio de las creencias y prácticas cristianas desarrolladas a través de las Escrituras, entre el tiempo de Cristo y mediados del siglo quinto.

~ Webber. **The Majestic Tapestry**.
Nashville: Thomas Nelson Publishers, 1986. Pág. 10.

Esta tradición es afirmada ampliamente por teólogos protestantes clásicos y modernos.

Por esta razón, los concilios de Nicea,[4] Constantinopla,[5] el primero de Efeso,[6] Calcedonia[7] y similares (los cuales se tuvieron para refutar errores), los adoptamos voluntariamente, y los reverenciamos como sagrados, en cuanto a su relación con las doctrinas de fe, porque lo único que contienen es la interpretación pura y genuina de la Escritura, la cual, los padres de la fe, con prudencia espiritual, adoptaron para destrozar a los enemigos de la religión [pura] que se habían levantado en esos tiempos.

~ Juan Calvino. **Institutes**. IV. ix. 8.

. . . la mayoría de los aspectos valiosos de la exégesis bíblica contemporánea, fue descubierta antes que culminara el siglo quinto.

~ Thomas C. Oden. **The Word of Life**.
San Francisco: HarperSanFrancisco, 1989. Pág. xi

Los primeros cuatro Concilios son los más importantes, pues establecieron la fe ortodoxa sobre la trinidad y la encarnación de Cristo.

~ Philip Schaff. **The Creeds of Christendom**. Vol. 1.
Grand Rapids: Baker Book House, 1996. Pág. 44.

Nuestra referencia a los concilios colectivos y los credos, por lo tanto, se enfoca en esos cuatro Concilios, los cuales retienen un amplio acuerdo de la Iglesia Católica, Ortodoxa, y Protestante. Mientras que los Católicos y Ortodoxos comparten un acuerdo común de los primeros siete concilios, los Protestantes usamos las afirmaciones solamente de los primeros cuatro; por esta razón, los concilios adoptados por toda la Iglesia fueron completados con el Concilio de Calcedonia en el año 451 D.C..

[4]*Nicea, antigua ciudad de Asia Menor, frente al lago Ascanius, la actual Iznik. Fue sede del primer concilio colectivo (año 325).*

[5]*Constantinopla, capital del imperio bizantino (actual Estambul) donde Teodosio I reunió el segundo concilio en mayo, 381, para finalizar y confirmar El Credo Niceno.*

[6]*Efeso, en el oeste de Asia Menor, donde se convocó el tercer concilio ecuménico en el año 431.*

[7]*Calcedonia, antigua ciudad de Asia Menor (Bitinia) donde en el año 451 se celebró el cuarto concilio.*

Tradiciones (continuación)

Vale notar que cada uno de estos concilios ecuménicos, se llevaron a cabo en un contexto cultural pre-europeo y ni uno se llevó a cabo en Europa. Fueron concilios de la Iglesia en su totalidad, y reflejan una época en la que el cristianismo era practicado mayormente y geográficamente por los del Este. Catalogados en esta era moderna, los participantes eran africanos, asiáticos y europeos. Estos concilios reflejaron una iglesia que " . . . tenía raíces culturales muy distintas de las europeas y precedieron al desarrollo de la identidad europea moderna, siendo [de tales raíces] algunos de sus genios más ilustres africanos". (Oden, *The Living God*, San Francisco: Harper San Francisco, 1987, pág. 9).

Quizás el logro más importante de los concilios, fue la creación de lo que es comúnmente conocido como El Credo Niceno. Sirve como una declaración sinóptica de la fe cristiana acordada por católicos, ortodoxos y cristianos protestantes.

Los primeros cuatro concilios ecuménicos, están recapitulados en el siguiente diagrama:

Nombre/Fecha/Localidad	Propósito
Primer Concilio Ecuménico 325 D.C. Nicea, Asia Menor	Defendiendo en contra de: *El Arrianismo* Pregunta contestada: *¿Jesús era Dios?* Acción: *La forma inicial del Credo Niceno fue desarrollada, y consecuentemente, sirvió cómo resumen de la fe cristiana.*
Segundo Concilio Ecuménico 381 D.C. Constantinopla, Asia Menor	Defendiendo en contra de: *El Macedonianismo* Pregunta contestada: *¿Es el Espíritu Santo una parte personal e igual a la Deidad?* Acción: *El Credo Niceno fue finalizado, al ampliarse el artículo que trata con el Espíritu Santo.*
Tercer Concilio Ecuménico 431 D.C. Éfeso, Asia Menor	Defendiendo en contra de: *El Nestorianismo* Pregunta contestada: *¿Es Jesucristo tanto Dios como hombre en una misma persona?* Acción: *Definió a Cristo como la Palabra de Dios encarnada, y afirmó a su madre María como **theotokos** (portadora de Dios).*
Cuarto Concilio Ecuménico 451 D.C. Calcedonia, Asia Menor	Defendiendo en contra de: *El Monofisismo* Pregunta contestada: *¿Cómo puede Jesús ser a la vez, Dios y hombre?* Acción: *Explicó la relación entre las dos naturalezas de Jesús (humano y Divino).*

APÉNDICE 14
33 bendiciones en Cristo

¿Sabía usted que le pasaron 33 cosas en el momento en que se convirtió en un creyente de Cristo Jesús? Lewis Sperry Chafer, el primer presidente del Seminario Teológico de Dallas, hizo una lista de los beneficios de la salvación en su *Teología Sistemática, Volumen III* (pp. 234-266). Estos puntos, junto con breves explicaciones, dan al cristiano nacido-de-nuevo, un mejor entendimiento del trabajo de la gracia cumplida en su vida así como una mayor apreciación de su nueva vida.

1. En el plan eterno de Dios, el creyente es:

    a. *Preconocido* - Hch. 2.23; 1 Pe. 1.2, 20. Dios sabía desde la eternidad cada paso en el programa entero del universo.

    b. *Predestinado* - Ro. 8.29-30. El destino de un creyente ha sido designado a través de la predestinación hacia la realización infinita de todas las riquezas de la gracia de Dios.

    c. *Seleccionado* - Ro. 8.38; Col. 3.12. Él/ella es elegido por Dios en la era presente y manifestará la gracia de Dios en años futuros.

    d. *Elegido* - Ef. 1.4. Dios nos ha separado para sí mismo.

    e. *Llamado* - 1 Ts. 6.24. Dios invita a los hombres a gozar de los beneficios de sus propósitos redentores. Este término puede incluir a aquellos a quien Dios ha elegido para salvación, pero que están aún en su estado degenerado.

2. Un creyente ha sido *redimido* - Ro. 3.24. El precio requerido para dejarla/le libre de pecado ha sido pagado.

3. Un creyente ha sido *reconciliado* - 2 Co. 6.18, 19; Ro. 5.10. Él/ella está restaurado en comunión con Dios.

4. Un creyente está relacionado con Dios a través de la *propiciación* - Ro. 3.24-26. Él/ella ha sido liberado del juicio por la gracia de Dios a través de la muerte de Su Hijo por los pecadores.

5. Un creyente ha sido *perdonado* de todas sus ofensas - Ef. 1.7. Todos sus pecados del pasado, presente y futuro han sido perdonados.

6. Un creyente está vitalmente *unido a Cristo* para que el viejo hombre sea juzgado "y emprenda un nuevo caminar" - Ro. 6.1-10. Él/ella está unido a Cristo.

33 bendiciones en Cristo (continuación)

7. Un creyente es *"libre en la fe"* - Ro. 7.2-6. Él/ella ha muerto a su condenación, y está libre de su jurisdicción.

8. Un creyente se ha convertido en un *hijo de Dios* - Gál. 3.26. Él/ella ha nacido de nuevo por la regeneración del poder del Espíritu Santo en una relación en la que Dios, la Primera Persona se convierte en un Padre legítimo y el que ha sido salvo se convierte en un hijo legítimo con todo derecho y título - un heredero de Dios y unido a Cristo Jesús.

9. Un creyente ha sido *adoptado como un hijo adulto* en la casa del Padre - Ro. 8.15, 23.

10. Un creyente ha sido *hecho acepto por Dios* a través de Jesucristo - Ef. 1.6. Él/ella es hecho *justo* (Ro. 3.22), *santo* (separado) *libre* (1 Co. 1.30, 6.11); *consagrado* (Heb. 10.14), y *aceptado* en el reino del Amado (Col. 1.12).

11. Un creyente ha sido *justificado* - Ro. 5.1. Él/ella ha sido declarado justo por el decreto de Dios.

12. Un creyente está *"bien hecho"* - Ef. 2.13. Hay una cercana relación establecida y existe entre Dios y el creyente.

13. Un creyente ha sido *librado de las tinieblas* - Col. 1.13; 2.13. Un cristiano ha sido librado de Satán y sus espíritus demoníacos. Aun así el discípulo debe seguir en guerra contra estos poderes.

14. Un creyente ha sido trasladado al Reino de Dios - Col. 1.13. El cristiano ha sido trasladado del reino de Satán al Reino de Dios.

15. Un creyente está *plantado* en la Roca, Jesucristo - 1 Co. 3.9-15. Cristo es el fundamento en el cual el creyente está anclado y en el que construye su vida cristiana.

16. Un creyente es un *regalo de Dios a Jesucristo* - Jn. 17.6, 11, 12, 20. Él/ella es el regalo de amor del Padre a Jesucristo.

17. Un creyente es *circuncidado en Cristo* - Col. 2.11. Él/ella ha sido liberado del poder de su antigua naturaleza pecaminosa.

18. Un creyente ha sido hecho *partícipe del Santo y Real Sacerdocio* - 1 Pe. 2.5, 9. Él/ella es sacerdote por su relación con Cristo, el Gran Sacerdote, y reinará en la tierra con él.

19. Un creyente es parte del *linaje escogido, real sacerdocio, nación santa, pueblo adquirido* - 1 Pe. 2.9. Esta es la compañía que tienen los creyentes en este tiempo.

33 bendiciones en Cristo (continuación)

20. Un creyente es un *ciudadano celestial* - Flp. 3.20. Por eso él/ella es llamado extranjero en la tierra (1 Pe. 2.13), y gozará de su verdadero hogar en el cielo por toda la eternidad.

21. Un creyente está en *la familia y casa de Dios* - Ef. 2.1,9. Él/ella es parte de la "familia" de Dios la cual se compone sólo de verdaderos creyentes.

22. Un creyente está en *la comunidad de los santos*. Jn. 17.11, 21-23. Él/ella puede ser parte de la comunidad de creyentes.

23. Un creyente está en una *sociedad celestial* - Col. 1.27; 3.1; 2 Co. 6.1; Col. 1.24; Jn. 14.12-14; Ef. 5.25-27; Tito 2.13. Él/ella es *socio con Cristo* en su vida, posición, servicio, sufrimiento, oración, desposada como una novia a Cristo, esperando su segunda venida.

24. Un creyente tiene *acceso a Dios* - Ef. 2.18. Él/ella tiene acceso a la gracia de Dios lo que le permite crecer espiritualmente, y tener un acercamiento libre al Padre (Heb. 4.16).

25. Un creyente tiene un "muy mayor" cuidado de parte de Dios - Ro. 5.8-10. Él/ella es resultado del amor (Jn. 3.16), gracia (Ef. 2.7-9), poder (Ef. 1.19), fidelidad (Flp. 1.6), paz (Ro. 5.1), consolación (2 Ts. 2.16-17), e intercesión de Dios (Ro. 8.26).

26. Un creyente es *heredero de Dios* - Ef. 1.18. Él/ella es dada a Cristo como un regalo del Padre.

27. Un creyente *tiene la herencia misma de Dios* y todo lo que Dios otorga - 1 Pe. 1.4.

28. Un creyente tiene *luz en el Señor* - 2 Co. 4.6. Él/ella no sólo tiene luz, sino también el mandato de andar en luz.

29. Un creyente está *vitalmente unido al Padre, Hijo y Espíritu Santo* - 1 Ts. 1.1; Ef. 4.6; Ro. 8.1; Jn. 14.20; Ro. 8.9; 1 Co. 2.12.

30. Un creyente es bendecido por medio de *las primicias o primeros frutos del Espíritu* - Ef. 1.14; 8.23. Él/ella es nacido en el Espíritu (Jn. 3.6), y bautizado por el Espíritu (1 Co. 12.13) por el cual el creyente es unido al cuerpo de Cristo y está en Cristo, por lo tanto es parte de todo lo que Cristo es. El discípulo también es habitado por el Espíritu (Ro. 8.9), es sellado por el Espíritu (2 Co. 1.22), asegurándose eternamente su condición, y es lleno del Espíritu (Ef. 5.18) cuyo ministerio libera su Poder y efectividad en el corazón en que mora.

31. Un creyente es *glorificado* - Ro. 8.18. Él/ella será partícipe de la historia eterna de la Divinidad.

33 bendiciones en Cristo (continuación)

32. Un creyente está *completo(a) en Dios* - Col. 2.9, 10. Él/ella participa de todo lo que Cristo es.

33. Un creyente *posee toda bendición espiritual* - Ef. 1.3. Toda la riqueza tabulada en los otros 32 puntos antes mencionados deben ser incluidos en este punto, "todas son bendiciones espirituales".

. . . .

Difícilmente estaría mal volver a exponer la verdad que la salvación es una obra de Dios para el hombre y no una obra para Dios. Es lo que el amor de Dios lo incita a hacer y no un mero acto de compasión que rescata las criaturas de su miseria. Para darse cuenta de la satisfacción de su amor, Dios se dispuso a quitar (por medio de un sacrificio infinito) la barrera insuperable que el pecado nos había impuesto. A la vez, Él está venciendo la oposición maligna hacia su gracia, oposición que es una característica de la raza caída. Pero Dios está inclinando a los elegidos a que ejerciten su fe en Cristo. Una vez que el camino queda sin obstáculos, Dios tiene la libertad de hacer todo lo que su infinito amor dicta. El estudiante que tiene la ambición de ser preciso en la predicación del evangelio no solamente observa, sino que siempre luchará por la verdad que todas estas riquezas son puramente una obra de Dios, y que para asegurarlas el individuo no debe hacer más que recibir de la mano de Dios lo que Él quiere darle a través de Jesucristo. Aquellos que creen en Cristo en el sentido que lo reciben (Jn. 1.12) como su Salvador, reciben instantáneamente todo lo que el amor divino provee. Estas 33 posiciones y posesiones no son otorgadas a través de un proceso, sino simultáneamente. No requieren un período de tiempo para su ejecución; sino que son operadas al instante. Ellos marcan la diferencia entre alguien salvo y alguien no salvo.

"¡Oh qué gran deudor soy a la gracia,
diariamente siento esta obligación!
¡Deja que Tu bondad, como si fuera una cuerda,
Ligue mi errante corazón a Ti!"

APÉNDICE 15

La teología de la *asociación* de Pablo

Nuestra unión con Cristo y compañerismo en el ministerio del Reino

*Adaptado de **Empowered Church Leadership**. Por Brian J. Dodd. Downers Grove: InterVarsity Press, 2003.*

El gusto apostólico por términos griegos compuestos, con el prefijo *"sin"* (con o co-)

Traducción del término griego	Referencias bíblicas
Colaborador (*Sinergós*)	Ro. 16.3, 7, 9, 21; 2 Co. 8.23; Fil. 2.25; 4.3; Col. 4.7, 10, 11, 14; Flm. 1.24
Compañero de prisión (*Sinaixmálotos*)	Col. 4.10; Flm. 23
Consiervo (*Síndoulos*)	Col. 1.7; 4.7
Compañero de milicia (*Sistratiótes*)	Fil. 2.25; Flm. 2
Compañero de lucha (*Sinathléo*)	Fil. 4.2-3

A P É N D I C E   1 6

Seis clases de ministerios neotestamentarios para la comunidad

Rev. Dr. Don L. Davis

Tipo	Griego	Texto	Responsabilidad
Proclamación	*euangelion*	Ro. 1.15-17	Predicar las Buenas Nuevas
Enseñanza	*didasko*	Mt. 28.19	Formar los discípulos de Jesús
Adoración	*latreúo*	Juan 4.20-24	Conducir a la presencia de Dios
Compañerismo	*agape*	Ro. 13.8-10	La comunión de los santos
Testificar	*martiria*	Hechos 1.8	Dar un preciso testimonio a los perdidos
Servicio	*diakonía*	Mt. 10.43-45	Encargarse de las necesidades de otros

APÉNDICE 17

Dones espirituales mencionados específicamente en el Nuevo Testamento

Rev. Terry G. Cornett

Administración	1 Co. 12.28	La habilidad para poner orden en la vida de la Iglesia
Apostolado	1 Co. 12.28; Ef. 4.11	La habilidad para establecer nuevas iglesias entre los no alcanzados, llevarlos a la madurez, y ejercitar autoridad y la sabiduría necesaria para verlos permanentemente establecidos y reproduciéndose; y/o Un don singular de la época de la fundación de la Iglesia que incluía recibir revelación especial y singular, sólida autoridad de liderazgo
Discernimiento	1 Co. 12.10	La habilidad para servir a la Iglesia a través de la capacidad que el Espíritu concede para distinguir entre la verdad de Dios (su presencia, obra y doctrina) y errores de la carne o falsificaciones satánicas
Evangelización	Ef. 4.11	La pasión y la habilidad para proclamar eficazmente el evangelio de tal manera que la gente lo entienda
Exhortación	Ro. 12.8	La habilidad para dar ánimo o represión que ayude a otros a obedecer a Cristo
Fe	1 Co. 12.9	La habilidad para edificar la Iglesia a través de una singular capacidad, y ver que por medio de una absoluta confianza en Dios sus propósitos no realizados, se logren
Repartir (dar, LBLA)	Ro. 12.8	La habilidad para edificar la Iglesia a través de un gozo consistente al compartir generosamente los recursos espirituales y físicos
Sanidad	1 Co. 12.9; 12.28	La habilidad para poner en práctica la fe que resulta en la restauración de la salud física, emocional y espiritual de las personas
Interpretación	1 Co. 12.10	La habilidad para explicar el significado de una declaración extática de tal modo que la Iglesia sea edificada

Dones espirituales mencionados específicamente en el Nuevo Testamento (continuación)

Conocimiento	1 Co. 12.8	La habilidad para entender verdades bíblicas por la iluminación del Espíritu Santo, y hablarlas para edificación del cuerpo; y/o La revelación sobrenatural de la existencia, o naturaleza, de una persona o cosa que no sería conocida por medios naturales
Liderazgo	Ro. 12.8	Valor, sabiduría, celo y duro trabajo inspirado por el Espíritu que motiva y guía a otros para que puedan participar eficazmente en la edificación de la Iglesia
Misericordia	Ro. 12.8	Simpatía de corazón que habilita a una persona a tener empatía con otros y servir con alegría a quienes están enfermos, sufriendo o desanimados
Ministrar (o servicio, o ayuda, u hospitalidad)	Ro. 12.7; 1 Pe. 4.9	La habilidad para hacer cualquier tarea felizmente que beneficia a otros y satisface sus necesidades prácticas y materiales (especialmente a favor de los pobres o los afligidos)
Milagros	1 Co. 12.10; 12.28	La habilidad para confrontar el mal y hacer el bien en maneras que hacen visible el maravilloso poder y la presencia de Dios
Pastor	Ef. 4.11	El deseo y la habilidad para guiar, proteger y equipar a los miembros de una congregación para el ministerio
Profecía	1 Co. 12.28; Ro. 12.6	La habilidad para recibir y proclamar abiertamente un mensaje revelado de Dios que prepara a la Iglesia para obedecerlo a Él y a las Escrituras
Enseñanza	1 Co. 12.28; Ro. 12.7; Ef. 4.11	La habilidad para explicar el significado de la Palabra de Dios y su aplicación por medio de una cuidadosa instrucción
Lenguas	1 Co. 12.10; 12.28	Emitir palabras extáticas por medio de las cuales una persona le habla a Dios (o a otros) bajo la dirección del Espíritu Santo
Sabiduría	1 Co. 12.8	Discernimiento revelado por el Espíritu que le permite a una persona hablar instrucciones piadosas para la solución de problemas; y/o Discernimiento revelado por el Espíritu que le permite a una persona explicar los misterios centrales de la fe cristiana

APÉNDICE 18
Los miembros del equipo de Pablo
Rev. Dr. Don L. Davis

Acaico, una persona de Corinto que visitó a Pablo en Filipos, 1 Co. 16.17.

Arquipo, discípulo colosense a quien Pablo exhortó a cumplir su ministerio, Col. 4.17; Filemón 2.

Aquila, discípulo judío que Pablo encontró en Corinto, Hechos 18.2, 18, 26; Ro. 16.3; 1 Co. 16.19; 2 Ti. 4.19.

Aristarco, con Pablo en su 3er viaje, Hechos 19.29; 20.4; 27.2; Col. 4.10; Filemón 24.

Artemos, compañero de Pablo en Nicópolis, Tito 3.12.

Bernabé, un levita, primo de Juan Marcos, y compañero de Pablo en varios de sus viajes, Hechos 4.36, 9.27; 11.22, 25, 30; 12.25; caps. 13, 14, 15; 1 Co. 9.6; Gal. 2.1, 9, 13; Col. 4.13.

Carpio, discípulo de Troas, 2 Ti. 4.13.

Claudia, discípula mujer de Roma, 2 Ti. 4.21.

Clemente, colaborador-trabajador en Filipos, Fil. 4.3.

Crescente, un discípulo en Roma, 2 Ti. 4.10.

Demas, un trabajador de Pablo en Roma, Col. 4.14; Filem. 24; 2 Ti. 4.10.

Epafras, compañero trabajador y prisionero, Col. 1.7, 4.12; Filem. 23.

Epafrodito, un mensajero entre Pablo y las iglesias, Fil. 2.25, 4.18.

Eubulu, discípulo de Roma, 2 Ti. 4.21.

Evodia, mujer cristiana de Filipos, Fil. 4.2

Fortunato, parte del equipo de corintios, 1 Co. 16.17.

Gayo, 1) Un compañero de Macedonia, Hechos 19.29; 2) Un discípulo/compañero en Derbe, Hechos 20.4.

Jesús (Justo), un discípulo judío en Colosas, Col. 4.11.

Juan Marcos, compañero de Pablo y primo de Bernabé, Hechos 12.12, 15; 15.37, 39; Col. 4.10; 2 Ti. 4.11; Filemón 24.

Lino, un compañero romano de Pablo, 2 Ti. 4.21.

Lucas, doctor y compañero de viajes con Pablo, Col. 4.14; 2 Ti. 4.11; Filemón 24.

Los miembros del equipo de Pablo (continuación)

Onésimo, nativo de Colosas y esclavo de Filemón que sirvió a Pablo, Col. 4.9; Filemón 10.

Hermógenes, un miembro del equipo que abandonó a Pablo en prisión, 2 Ti. 1.15.

Figelo, uno que con Hermógenes abandonó a Pablo en Asia, 2 Ti. 1.15.

Priscila (Prisca), esposa de Aquila de Poncio y compañera-trabajadora en el evangelio, Hechos 18.2, 18, 26; Ro. 16.3; 1 Co. 16.19.

Pudente, una compañía romana de Pablo, 2 Ti. 4.21.

Segundo, compañía de Pablo en su camino de Grecia a Siria, Hechos 20.4.

Silas, discípulo, compañero trabajador, un prisionero con Pablo, Hechos 15.22, 27, 32, 34, 40; 16.19, 25, 29; 17.4, 10, etc.

Sópater, acompañó a Pablo a Siria, Hechos 20.4.

Sosipater, pariente de Pablo, Ro. 16.21.

Silvano, probablemente igual a Silas, 2 Co. 1.19; 1 Ts. 1.1; 2 Ts. 1.1.

Sóstenes, jefe gobernador de la sinagoga de Corinto, trabajador con Pablo allí, Hechos 18.17.

Estéfanas, uno de los primeros creyentes de Acaya y visita de Pablo, 1 Co. 1.16; 16.15; 16.17.

Síntique, una de las "colaboradoras trabajadora" en Filipos, Fil. 4.2.

Tercio, esclavo y persona que escribió la Epístola a los Romanos, Ro. 16.22.

Timoteo, un joven de Listra con una madre judía y un padre griego quien trabajó con Pablo en su ministerio, Hechos 16.1;17.14, 15; 18.5; 19.22; 20.4; Ro. 16.21; 1 Co. 4.17; 16.10; 2 Co. 1.1, 19; Fil. 1.1; 2.19; Col. 1.1; 1 Ts. 1.1; 3.2, 6; 2 Ts. 1.1; 1 Ti. 1.2, 18; 6.20; 2 Ti. 1.2; Filemón 1; Heb. 13.23.

Tito, discípulo griego y colaborador de Pablo, 2 Co. 2.13; 7.6, 13, 14; 8.6, 16, 23; 12.18; Gal. 2.1, 3; 2 Ti. 4.10; Tito 1.4.

Trófimo, un discípulo efesio que acompañó a Pablo a Jerusalén desde Grecia, Hechos 20.4; 21.29; 2 Ti. 4.20.

Trifena y Trifosa, discípulas, mujeres de Roma, probablemente gemelas, a las que Pablo llama colaboradoras en el Señor, Ro. 16.12.

Tíquico, un discípulo de Asia Menor que acompañó a Pablo en varios de sus viajes, Hechos 20.4; Ef. 6.21; Col. 4.7; 2 Ti. 4.12; Tito 3.12.

Urbano, discípulo romano y ayudante de Pablo, Ro. 16.9.

APÉNDICE 19

Nutriendo al auténtico liderazgo cristiano

Rev. Dr. Don L. Davis

Desequilibrio por-un-lado	Desequilibrio por el-otro-lado
Imponer manos muy rápidamente	Posponer siempre la delegación a los nativos
Ignorar la cultura en el entrenamiento de liderazgo	Elevar la cultura sobre la verdad
Degradar la doctrina y la teología	Tomar la doctrina y la teología sólo como un criterio
Resaltar habilidades y talentos sobre la disponibilidad y el carácter	Sustituir la disponibilidad y el carácter por un talento genuino
Enfatizar habilidades administrativas sobre el dinamismo espiritual	Ignorar el papel de la administración en pro de la vitalidad espiritual y poder
Igualar la preparación con la perfección cristiana	Ignorar la importancia de las normas bíblicas
Limitar candidatura para liderazgo basándose en el género y pertenencia étnica	Asignar tareas de liderazgo basándose en género y etnicidad
Ver a todos como líderes	Ver prácticamente a nadie como digno de liderar

APÉNDICE 20
El papel de la mujer en el ministerio
Rev. Dr. Don L. Davis

Si bien es cierto que Dios ha establecido dentro del hogar un orden claramente diseñado, es igualmente claro que las mujeres son llamadas y dotadas por Dios, dirigidas por su Espíritu para dar fruto digno de su llamamiento en Cristo. A través del NT, hay mandamientos para las mujeres a someterse, con el verbo griego *jupotásso*, que ocurre con frecuencia con el significado de "colocarse bajo" o "someterse" (comp. 1 Ti. 2.11). La palabra traducida al español como "sujeción" proviene de la misma raíz. En tales contextos estas expresiones griegas no deben entenderse en ninguna otra forma que una positiva amonestación acerca del diseño de Dios para el hogar, donde las mujeres son amonestadas a aprender en silencio y sumisamente, confiando y laborando dentro del propio plan de Dios.

Sin embargo, esta orden a la mujer de sumisión en el hogar, no debe ser malinterpretada como que a las mujeres no se les permite ministrar sus dones bajo la dirección del Espíritu. Ciertamente, es el Espíritu Santo por medio del otorgamiento lleno de gracia de Cristo quien asigna los dones según su voluntad para la edificación de la Iglesia (1 Co. 12.1-27; Ef. 4.1-16). Los dones no son otorgados a los creyentes bajo el criterio del género; en otras palabras, no hay indicios en las Escrituras que algunos dones son solamente para los varones y otros reservados para las mujeres. Por el contrario, Pablo afirma que Cristo proveyó dones como un directo resultado de su propia victoria personal sobre el diablo y sus esbirros (comp. Ef. 4.6 y sig.). Esa fue su decisión personal, dados por su Espíritu a quienquiera que Él lo desee (comp. 1 Co. 12.1-11). En la afirmación del ministerio de las mujeres, nosotros afirmamos el derecho del Espíritu de ser creativo en todos los santos para el bienestar de todos y la expansión de su Reino, según le parezca a Él, y no necesariamente como lo determinemos nosotros (Ro. 12.4-8; 1 Pe. 4.10-11).

Además, un cuidadoso estudio de la totalidad de las Escrituras, indica que la orden de Dios para el hogar de ninguna manera debilita su intención para que el hombre y la mujer le sirvan juntos a Cristo como discípulos y obreros, bajo la dirección de Cristo. La clara enseñanza del NT de Cristo como cabeza del hombre y el hombre de la mujer (véase 1 Co. 11.4) muestra el aprecio de Dios de una representación espiritual piadosa dentro del hogar. La aparente prohibición a las mujeres de tener posición de enseñanza/de gobierno parece ser una amonestación para proteger las líneas designadas por Dios de responsabilidad y autoridad dentro del hogar. Por ejemplo, el término griego particular en el muy debatido pasaje de 1 Timoteo 2.12, *andrós*, que con frecuencia ha sido traducido

El papel de la mujer en el ministerio (continuación)

"hombre", también puede ser traducido "esposo". Con tal traducción, entonces la enseñanza sería que una esposa no debe tener dominio sobre su esposo.

La doctrina de una mujer que al escoger casarse, voluntariamente se predispone a someterse a "estar bajo" su esposo, está en total acuerdo con el punto esencial de la enseñanza del NT sobre la función de la autoridad en el hogar cristiano. La palabra griega *jupotásso*, que significa "estar bajo de" se refiere a la voluntaria sumisión de una esposa a su esposo (comp. Ef. 5.22, 23; Col. 3.18; Tito 2.5; 1 Pe. 3.1). Esto no tiene nada que ver con la suposición de un estado superior o capacidad del esposo; más bien, se refiere al diseño de dirigente, autoridad que le es dada para confortación, protección y cuidado, no para destrucción o dominio (comp. Gn. 2.15-17; 3.16; 1 Co. 11.3). Ciertamente, la cuestión de ser la cabeza es interpretada a la luz de Cristo como cabeza sobre la Iglesia y significa la clase de jefatura piadosa que debe ser exhibida, el sentido de un incansable cuidado, servicio y protección requerido de un liderazgo piadoso.

Por supuesto, la amonestación a una esposa de someterse a un esposo de ninguna manera impediría que las mujeres participaran en un ministerio de enseñanza (por ej., Tito 2.4), sino más bien, que en el caso particular de las mujeres casadas, significa que sus propios ministerios estarían bajo la protección y dirección de sus respectivos esposos (Hechos 18.26). Esto confirmaría que el ministerio en la Iglesia de una mujer casada sería el de servir bajo la protectora vigilancia de su esposo, no debido a ninguna noción de capacidad inferior o espiritualidad defectuosa, sino para, como un comentarista lo ha dicho, "evitar confusión y mantener el orden correcto" (comp. 1 Co. 14.40).

Tanto en Corinto como en Éfeso (que representan los cuestionados comentarios epistolares en Corintios y 1 Timoteo), parece que la restricción de Pablo acerca de la participación de las mujeres fue causada por sucesos ocasionales, asuntos que se desarrollaron particularmente de esos contextos, y por lo tanto, se supone que deben ser entendidos bajo esa luz. Por ejemplo, el caso de los muy debatidos textos sobre el "silencio" de la mujer en la iglesia (ver 1 Co. 14 y 1 Ti. 2) en ninguna manera parecen debilitar la prominente función que las mujeres tuvieron en la expansión del Reino y el desarrollo de la Iglesia en el primer siglo. Las mujeres estaban envueltas en los ministerios de profecía y oración (1 Co. 11.5), instrucción personal (Hechos 18.26), enseñanza (Tito 2.4,5), dando testimonio (Juan 4.28, 29), ofreciendo hospitalidad (Hechos 12.12) y sirviendo como colaboradoras con los apóstoles en la causa del evangelio (Flp. 4.2-3). Pablo no relegó a las mujeres a una función inferior o estado escondido, sino que sirvieron lado-a-lado con los hombres por la causa de Cristo: "Ruego a Evodia y a Síntique, que sean de un mismo sentir en el Señor. Asimismo te ruego también a ti, compañero fiel, que ayudes a éstas que combatieron juntamente conmigo en *la causa* del evangelio, con

El papel de la mujer en el ministerio (continuación)

Clemente también y los demás colaboradores míos, cuyos nombres están en el libro de la vida" (Flp. 4.2-3).

Aún más, debemos tener cuidado en subordinar la persona de la mujer *per se* (es decir, su naturaleza de mujer) versus su función de subordinada en la relación matrimonial. No obstante la clara descripción de la función de las mujeres como coherederas de la gracia de la vida en la relación matrimonial (1 Pe. 3.7), también es claro que el Reino de Dios ha traído un dramático cambio sobre cómo las mujeres deben ser vistas, entendidas y aceptadas en la comunidad del reino. Es obvio que ahora en Cristo no hay diferencia entre el rico y el pobre, judíos y gentiles, bárbaros y escitas, siervos y libres, como tampoco entre hombres y mujeres (comp. Gál. 3.28; Col. 3.11). A las mujeres se les permitió ser discípulas de un Rabí (quien era extranjero y rechazado al tiempo de Jesús), y tuvieron prominentes papeles en la iglesia del NT, como ser colaboradoras lado a lado con los apóstoles en el ministerio (por ej., Evodia y Síntique en Fil 4.1ss), como también teniendo una iglesia en sus casas (comp. Febe en Ro. 16.1-2 y Apia in Filem. 1.2).

En relación al asunto de la autoridad pastoral, yo estoy convencido que el entendimiento de Pablo de la función de equipar (de lo cual la función de pastor-maestro es uno de ellos, comp. Ef. 4.9-15) nada tiene que ver con el género. En otras palabras, el texto primario y decisivo para mí sobre la operación de los dones y el estado y función del oficio, son los textos del NT que tratan sobre los dones (1 Co. 12.1-27; Ro. 12.4-8; 1 Pe. 4.10-11 y Ef. 4.9-15). No hay indicación en ninguno de estos textos formativos que los dones son de acuerdo al género. En otras palabras, para que el argumento pruebe que las mujeres nunca deberían tener funciones de naturaleza pastoral o de equipar, el argumento más simple y efectivo sería mostrar que el Espíritu simplemente nunca habría considerado darle a las mujeres un don que no fuera adecuado para el radio de llamamientos hacia los cuales ellas se sintieran llamadas. Las mujeres tendrían prohibido servir en el liderazgo porque el Espíritu Santo nunca le otorgaría a una mujer un llamado y los dones requeridos porque ella era una mujer. Algunos dones estarían reservados para los hombres, y las mujeres nunca recibirían esos dones.

Una cuidadosa lectura de esos y otros textos relacionados, no muestran tal prohibición. Parece que le corresponde al Espíritu darle a una persona, hombre o mujer, cualquier don que los capacite para cualquier ministerio que Él desea que ellos desarrollen, según su voluntad (1 Co. 12.11: "Pero todas estas cosas las hace uno y el mismo Espíritu, repartiendo a cada uno en particular como él quiere"). Basándose en este punto, Terry Cornett ha escrito un magnífico ensayo teológico que muestra cómo la palabra griega del

El papel de la mujer en el ministerio (continuación)

NT para "apóstol" sin equivocación alguna es aplicada a las mujeres, mostrado claramente en la interpretación del sustantivo femenino "Junias" aplicado como "apóstol" en Romanos 16.7, como también alusiones a colaborar, por ejemplo, con las gemelas Trifena y Trifosa, quienes "colaboraron" con Pablo en el Señor (16.12).

Creer que todo cristiano llamado por Dios, dotado por Cristo y dotado y dirigido por el Espíritu debe cumplir su función en el cuerpo, nosotros afirmamos la función de las mujeres para dirigir e instruir bajo autoridad piadosa que se someta al Espíritu Santo, a la Palabra de Dios y que esté informada por la tradición de la Iglesia y el razonamiento espiritual. Debemos esperar que Dios les dé a las mujeres una dotación sobrenatural de la gracia para llevar a cabo sus órdenes a favor de su Iglesia y su reinado en el Reino de Dios. Puesto que tanto los hombres como las mujeres reflejan el *Imago Dei* (es decir, la imagen de Dios), y que los dos son herederos de la gracia de Dios (comp. Gn. 1.27; 5.2; Mt. 19.4; Gál. 3.28; 1 Pe. 3.7), se les da el alto privilegio de representar a Cristo juntos como sus embajadores (2 Co. 5.20), y por medio de su asociación completar nuestra obediencia a la Gran Comisión de Cristo de hacer discípulos de todas las naciones (Mt. 28.18-20).

APÉNDICE 21

Discerniendo el llamado: El perfil de un líder cristiano piadoso

Rev. Dr. Don L. Davis

	Comisión	Carácter	Comunidad	Competencia
Definición	Reconoce el llamado de Dios y responde con obediencia a su señorío y guía	Refleja el carácter de Cristo en su convicción personal, conducta y estilo de vida	Considera la multiplicación de discípulos en el cuerpo de Cristo como el papel primordial del ministerio	Responde en el poder del Espíritu con excelencia para llevar a cabo su labor y ministerio asignado
Escritura clave	2 Ti. 1.6-14; 1 Ti. 4.14; Hch. 1.8; Mt. 28.18-20	Juan 15.4-5; 2 Ti. 2.2; 1 Co. 4.2; Gál. 5.16-23	Ef. 4.9-15; 1 Co. 12.1-27	2 Ti. 2.15; 3.16-17; Ro. 15.14; 1 Co. 12
Concepto crítico	La autoridad de Dios: El líder de Dios actúa bajo el llamado y autoridad reconocida por Dios, los santos y los líderes de Dios	La humildad de Cristo: El líder de Dios demuestra los pensamientos y estilo de vida de Cristo en sus acciones y relaciones	El crecimiento de la iglesia: El líder de Dios utiliza todos sus recursos para equipar y facultar al cuerpo de Cristo para que cumpla su meta y labor	El poder del Espíritu: El líder de Dios opera bajo la dotación y unción del Espíritu Santo
Elementos centrales	Llamado claro de Dios Auténtico testimonio ante Dios y otras personas Sentido profundo de convicción personal basado en la Escritura Carga personal hacia una tarea o gente en particular Confirmación por los líderes y el cuerpo de Cristo	Pasión por el carácter de Cristo Estilo de vida radical por el Reino Busca seriamente la santidad Disciplina en su vida personal Realiza su papel en relación a ser siervo-esclavo de Cristo Provee un modelo atractivo para otros en conducta, palabra, actitud y estilo de vida (el fruto del Espíritu)	Amor y anhelo genuino en servir al pueblo de Dios Discipula individuos fieles Facilita crecimiento en los grupos pequeños Pastorea y equipa creyentes en la congregación Nutre asociaciones y redes entre cristianos e iglesias Avanza movimientos entre el pueblo de Dios localmente	Talentos y dones del Espíritu Santo Discipulado saludable bajo un mentor capaz Experiencia en las disciplinas espirituales Habilidad en la Palabra Capaz en evangelizar, dar seguimiento y discipular nuevos convertidos Estratega en el uso de recursos y gente para llevar a cabo la obra de Dios
Estrategia satánica sobre el liderazgo	Operar basado en su personalidad o posición en lugar de la designación y llamado de Dios y la continua autoridad	Sustituir la piedad y el carácter de Cristo con la actividad ministerial y la labor industrial	Exaltar las tareas y actividades por encima de equipar a los santos y desarrollar a la comunidad cristiana	Laborar bajo dones naturales y genio personal en lugar de la guía y dones del Espíritu
Pasos importantes	Identificar el llamado Descubrir su carga Ser confirmado por el liderazgo	Está arraigado en Cristo Cultiva la disciplina devocional Busca santidad en todo	Abraza a la Iglesia de Dios Aprende contextos de liderazgo Equipa concéntricamente	Descubre dones del Espíritu Recibe entrenamiento excelente Pule su rendimiento
Resultados	Mucha confianza en Dios, que surge del llamado de Él	Provee un poderoso ejemplo cristiano para que otros lo sigan	Multiplica discípulos en la Iglesia	Dinámico obrar del Espíritu Santo

APÉNDICE 22

El sufrimiento: El costo del discipulado y el liderazgo de servicio

Rev. Dr. Don L. Davis

Ser un discípulo es cargar con el estigma y reproche de Aquel que lo llamó a su servicio (2 Ti. 3.12). Prácticamente, esto podría significar perder las comodidades, conveniencias, y hasta la vida misma (Jn. 12.24-25).

Todos los apóstoles de Cristo sufrieron insultos, reprensiones, latigazos y rechazos por los enemigos del Maestro. Cada uno de ellos selló su doctrina con su sangre en el exilio, la tortura y el martirio. A continuación presentaremos una lista del destino doloroso de los apóstoles de acuerdo a los recuentos tradicionales.

- Mateo sufrió el martirio siendo decapitado por espada en una ciudad distante de Etiopía.

- Marcos murió en Alejandría (Egipto) después de ser cruelmente arrastrado en medio de las calles de tal ciudad.

- Lucas fue colgado de un árbol de olivo en la tierra clásica de Grecia.

- Juan fue puesto en una olla enorme que hervía con aceite, no obstante escapó de la muerte milagrosamente, y luego fue enviado a la Isla de Patmos, donde vivió sus últimos días.

- Pedro fue crucificado de cabeza en Roma.

- Santiago, el Grande, fue decapitado en Jerusalén.

- Santiago, el Pequeño, fue arrojado desde el pináculo del templo y luego azotado con bastones hasta la muerte.

- Bartolomé fue despellejado vivo.

- Andrés fue amarrado a una cruz, de donde predicó a sus perseguidores hasta morir.

- Tomás fue traspasado con una lanza en Coromandel en las Indias Orientales.

- Judas fue muerto a flechazos.

- Matías fue apedreado y luego decapitado.

- Bernabé de los gentiles fue apedreado hasta morir en Salónica.

- Pablo, después de varias torturas y persecuciones, por último fue decapitado en Roma por el emperador Nerón.

APÉNDICE 23

Nuestra declaración de dependencia: Libertad en Cristo

Rev. Dr. Don. L. Davis, Enero 11, 2003

Es importante enseñar la moralidad dentro del reino de libertad (Gál. 5.1, "Estad, pues, firmes en la libertad con que Cristo nos hizo libres"), y siempre en el contexto de usar nuestra libertad en el marco de dar gloria a Dios y por el avance del Reino de Cristo. Enfatizo los principios de "6-8-10" de 1 Corintios, y los aplico a todos los asuntos morales.

1. 1 Co. 6.9-11, El cristianismo consiste en una transformación en Cristo, no una cantidad de excusas que lleven a una persona dentro del Reino.

2. 1 Co. 6.12b, Somos libres en Cristo, pero no todo lo que hacemos es edificante o de ayuda.

3. 1 Co. 6.12b, Somos libres en Cristo, pero todo lo que es adictivo y tiene control sobre nosotros debe ser contado para Cristo y su Reino.

4. 1 Co. 8.7-13, Somos libres en Cristo, pero nunca debemos ostentar de nuestra libertad, especialmente en la cara de los cristianos cuya consciencia pueda ser afectada y/o estropeada si nos ven haciendo algo que ellos encuentren ofensivo.

5. 1 Co. 10.23, Somos libres en Cristo, todas las cosas son lícitas, pero no todas me convienen y no todas son de ayuda.

6. 1 Co. 10.24, Somos libres en Cristo, y debemos usar nuestra libertad par amar a nuestros hermanos y hermanas en Cristo y pensar en su bienestar (Gál. 5.13).

7. 1 Co. 10.31, Somos libres en Cristo, y se nos ha dado esta libertad para que podamos glorificar a Dios en todo lo que hacemos, ya sea que comamos o bebamos, o cualquier otra cosa.

8. 1 Co. 10.32-33, Somos libres en Cristo, y debemos usar nuestra libertad para hacer lo que podamos y no ofender a la gente del mundo o la Iglesia, sino hacer lo que se tenga que hacer para ser de influencia, con el propósito que conozcan y amen a Cristo, es decir, para que puedan ser salvos.

Este enfoque de la libertad, en mi mente, pone todas las cosas que decimos a los adultos y a los adolescentes en contexto. A menudo, la manera en que los nuevos cristianos son

Nuestra declaración de dependencia: Libertad en Cristo (continuación)

discipulados es a través de una rigurosa taxonomía (listado) de diferentes vicios y enfermedades morales, y esto puede hacerle pensar que la cristiandad es una religión anti-hechos (una religión de simplemente no hacer nada), y/o una fe demasiado preocupada en no pecar. Realmente, el enfoque moral de la cristiandad es nuestra libertad, una libertad para vivir una vida rendida al Señor. La responsabilidad moral de los cristianos urbanos es de vivir libres en Cristo Jesús, vivir libres en la gloria de Dios, y no usar su libertad de la ley como una licencia para pecar.

El centro de la enseñanza es enfocar nuestra libertad ganada para nosotros a través de la muerte de Cristo y su resurrección, y nuestra unión con Él. Ahora estamos libres de la ley, el principio del pecado y de la muerte, la condenación y culpabilidad de nuestro propio pecado, y de la convicción de la ley en nosotros. Servimos a Dios por gratitud y agradecimiento, y el impulso moral es vivir libres en Cristo. Pero no usamos nuestra libertad para ser sabios o tontos, sino para glorificar a Dios y amar a otros. Éste es el contexto en el que tratamos los asuntos espinosos de la homosexualidad, el aborto y otras enfermedades sociales. Aquellos que realizan actos de libertinaje pero carecen del conocimiento de Dios en Cristo, son sólo seguidores de sus predisposiciones internas, las cuales no están conformadas por la voluntad moral de Dios o por Su amor.

La libertad en Cristo es un llamado a vivir en santidad y con gozo, como discípulos urbanos. Esta libertad permite ver cuán creativos pueden ser como cristianos en medio de la así llamada "vida libre", la cual sólo conduce a la esclavitud, vergüenza y remordimiento.

A P É N D I C E   2 4
"¡Tienes que servir a alguien!"

Más de la mitad de las metáforas escogidas por Jesús describen a alguien que está bajo la autoridad de otro. A menudo, la palabra seleccionada implica un miembro de una familia con su par correspondiente, tal como el hijo (de un padre, *pater*), un siervo (de un maestro, *kyrios*), o un discípulo (de un maestro, *didaskalos*). Otras imágenes de aquellos bajo autoridad incluyen al pastor (*poimen*), quien atiende al rebaño que pertenece a otro, el trabajador (*ergates*) contratado por el patrón (*oikodespotes*), el apóstol (*apostolos*) comisionado por su superior, y la oveja (*probaton*) obedeciendo la voz del pastor. Es interesante notar que a pesar de que los discípulos estaban preparados para el liderazgo espiritual en la iglesia, Jesús pone mucho más énfasis en su responsabilidad sobre la autoridad de Dios, que en la autoridad que ellos mismos ejercerían. Hay mucha más instrucción sobre el papel del *seguimiento* que sobre el papel de *guiar* [énfasis añadido].

~ David Bennett, **The Metaphors of Ministry**, p. 62.

APÉNDICE 25
Lista de comprobación de un servicio espiritual
Rev. Dr. Don L. Davis

1. *Salvación*: ¿Han creído en el evangelio, confesado a Jesús como su Señor y Salvador, han sido bautizados y unidos formalmente a nuestra iglesia como miembros?

2. *Integridad personal*: ¿Están caminando con Dios, creciendo en su vida personal, y demostrando amor y fidelidad en su familia, trabajo y en la comunidad?

3. *Equipado en la Palabra*: ¿Cuán entrenadas están estas personas en la Palabra de Dios para compartir y enseñar a otros?

4. *Apoyo para la iglesia*: ¿Apoyan estas personas a la iglesia con su presencia, con su oración por el liderazgo y los miembros, y dan su apoyo financiero?

5. *Sumisión a la autoridad*: ¿Se someten gozosamente a la autoridad espiritual de la congregación?

6. *Identificación de dones espirituales*: ¿Qué dones, talentos, habilidades y recursos especiales tienen y ofrecen estos miembros para el servicio, y cuál es su carga particular por el ministerio ahora?

7. *Disponibilidad de su presencia*: ¿Están disponibles para ser asignados a tareas o proyectos, específicamente donde podamos usar su servicio para contribuir voluntariamente al cuerpo de Cristo?

8. *Reputación entre líderes*: ¿Cómo se sienten los otros líderes con respecto a la prontitud de estas personas para enfrentar un nuevo papel en el liderazgo?

9. *Recursos necesarios para realizar su papel*: Si son designados para este papel, ¿qué entrenamiento en particular, dinero, recursos y/o aportes necesitarán para cumplir su tarea?

10. *Notificación formal de su comisión a otros líderes*: ¿Cuándo y cómo avisaremos a otros líderes que hemos designado a estas personas para una tarea o proyecto?

11. *Fecha de comisión y período de servicio*: También, si decidimos comisionar a estas personas a su papel/tarea, ¿cuándo estarán listos para comenzar, cuánto tiempo deben servir en esa tarea antes de evaluar su rendimiento?

12. *Fecha de evaluación y re-comisión*: ¿En qué fecha vamos a evaluar el desempeño de las personas, y determinar los pasos que debemos tomar si los re-comisionamos a su papel de liderazgo en la iglesia?

APÉNDICE 26

Gobernando sobre versus sirviendo entre

Diferentes estilos y modelos de liderazgo

Adaptado de George Mallone, **Furnace of Renewal.**

Autoridad secular	Autoridad de siervo
Funciones en base al poder	Funciones en base al amor y obediencia
Gobierna primordialmente dando órdenes	Sirve como si estuviera bajo las órdenes de otro
No está dispuesto a fallar	Sin temor al fracaso, recibe responsabilidades
Se ve a sí mismo como absolutamente necesario	Dispuesto a ser utilizado y a desgastarse para el cuerpo
Maneja a otros (mentalidad de arriero)	Dirige a otros (mentalidad de pastor)
Sujeta a otros con amenazas de pérdidas y dolor	Edifica a otros con estímulo y desafío
Consolida el poder para un máximo impacto	Administra la autoridad para un bien mayor
Tiene oro, hace las reglas	Sigue la Regla de Oro
Usa su posición para su avance personal	Ejercita la autoridad para agradar al Maestro
Espera beneficios de su servicio	Espera entregarse al servicio de los demás
Fuerza, no carácter, es decisivo	Carácter, no fuerza, lleva la mayor parte del peso

A P É N D I C E   2 7

Desde la ignorancia hasta el testimonio creíble

Rev. Dr. Don L. Davis

Testimonio - Habilidad para testificar y enseñar *2. Ti. 2.2* *Mt. 28.18-20* *1 Jn. 1.1-4* *Pr. 20.6* *2 Co. 5.18-21* *Lo que has oído de mí ante muchos testigos, esto encarga a hombres fieles que sean idóneos para enseñar también a otros. - 2 Ti. 2.2*	8
Estilo de vida - Apropiación consistente y práctica habitual, basadas en valores propios *Heb. 5.11-6.2* *Ef. 4.11-16* *2 Pe. 3.18* *1 Ti. 4.7-10* *Y Jesús crecía en sabiduría y en estatura, y en gracia para con Dios y los hombres. - Lc. 2.52*	7
Demostración - Expresar convicción en conducta, palabras y acciones correspondientes *Stg. 2.14-26* *2 Co. 4.13* *2 Pe. 1.5-9* *1 Ts. 1.3-10* *Mas en tu palabra echaré la red. - Lc. 5.5*	6
Convicción - Comprometerse a pensar, hablar y actuar a la luz de la información *Heb. 2.3-4* *Heb. 11.1, 6* *Heb. 3.15-19* *Heb. 4.2-6* *¿Crees esto? - Jn. 11.26*	5
Discernimiento - Comprender el significado e implicación de la información *Jn. 16.13* *Ef. 1.15-18* *Col. 1.9-10* *Is. 6.10; 29.10* *Pero ¿entiendes lo que lees? - Hch. 8.30*	4
Conocimiento - Tener habilidad creciente para recordar y recitar información *2 Ti. 3.16-17* *1 Co. 2.9-16* *1 Jn. 2.20-27* *Jn. 14.26* *Porque ¿qué dice la Escritura? - Ro. 4.3*	3
Interés - Responder a ideas o información con curiosidad sensibilidad y franqueza *Sal. 42.1-2* *Hch. 9.4-5* *Jn. 12.21* *1 Sam. 3.4-10* *Ya te oiremos acerca de esto otra vez. - Hch. 17.32*	2
Conciencia - Ser expuesto de forma general a ideas e información *Mar. 7.6-8* *Hch. 19.1-7* *Jn. 5.39-40* *Mt. 7.21-23* *En aquel tiempo Herodes el tetrarca oyó la fama de Jesús. - Mt. 14.1*	1
Ignorancia - Comportarse con ingenuidad *Efe. 4.17-19* *Sal. 2.1-3* *Rom. 1.21; 2.19* *1 Jn. 2.11* *¿Quién es el SEÑOR para que yo escuche su voz y deje ir a Israel? - Ex. 5.2 (LBLA)*	0

A P É N D I C E   2 8

Ética del Nuevo Testamento: Viviendo en lo opuesto del Reino de Dios

Mito verdadero y cuento bíblico de hadas

Rev. Dr. Don L. Davis

El principio de lo opuesto

El principio expresado	Escrituras
Los pobres serán ricos, y los ricos serán pobres	Lc. 6.20-26
El que quebranta la ley y los indignos son salvos	Mt. 21.31-32
Los que se humillan serán exaltados	1 Pe. 5.5-6
Los que se exaltan serán humillados	Lc. 18.14
Los ciegos recibirán la vista	Jn. 9.39
Quienes dicen que ven quedarán ciegos	Jn. 9.40-41
Experimentamos la libertad al ser esclavos de Cristo	Ro. 12.1-2
Dios ha escogido lo necio del mundo para avergonzar a los sabios	1 Co. 1.27
Dios ha escogido lo débil del mundo para avergonzar a los fuertes	1 Co. 1.27
Dios ha escogido lo vil y lo menospreciado para deshacer las cosas que son	1 Co. 1.28
Obtenemos el mundo porvenir, al perder el mundo actual	1 Ti. 6.7
Si ama esta vida, la perderá; odie esta vida, y obtendrá la siguiente	Jn. 12.25
Se convierte en el más grande de todos al ser el siervo de ellos	Mt. 10.42-45
Al hacer tesoros aquí, uno se priva del galardón celestial	Mt. 6.19
Al hacer tesoros en lo alto, se obtiene la riqueza del Cielo	Mt. 6.20
Acepte su muerte a fin de vivir en plenitud	Jn. 12.24
Libérese de toda reputación terrenal para ganar el favor celestial	Flp. 3.3-7
Los primeros serán últimos, y los últimos serán primeros	Mc. 9.35
La gracia de Jesús se perfecciona en su debilidad, no en su fortaleza	2 Co. 12.9
El más elevado sacrificio para Dios es la contrición y el quebrantamiento	Sal. 51.17
Es mejor darle a otros que recibir algo de ellos	Hch. 20.35

APENDICE 2 9

Enfoques que sustituyen la visión Cristo-céntrica

Cosas buenas y efectos que nuestra cultura sustituye como la meta máxima del cristianismo

Rev. Dr. Don L. Davis

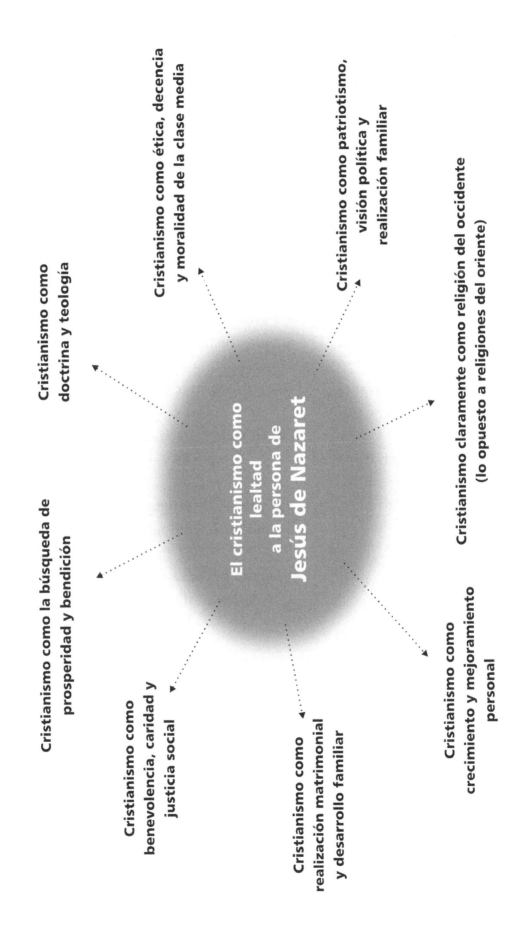

El cristianismo como lealtad a la persona de **Jesús de Nazaret**

Cristianismo como doctrina y teología

Cristianismo como ética, decencia y moralidad de la clase media

Cristianismo como patriotismo, visión política y realización familiar

Cristianismo claramente como religión del occidente (lo opuesto a religiones del oriente)

Cristianismo como crecimiento y mejoramiento personal

Cristianismo como realización matrimonial y desarrollo familiar

Cristianismo como benevolencia, caridad y justicia social

Cristianismo como la búsqueda de prosperidad y bendición

A P É N D I C E   3 0

Tratando con formas antiguas

Adaptado de Paul Hiebert

Antiguas creencias, rituales, historias, canciones, costumbres, arte, música, etc.

Negación total de lo antiguo (sin contextualización)	**Lidiando en forma crítica con lo antiguo** (contextualización crucial)	**Aceptar lo antiguo sin crítica alguna** (contextualización no crucial)
Evangelio extraño - evangelio rechazado	**1) Reunir información antigua**	**Sincretismo**
Lo antiguo es menospreciado - sincretismo	**2) Estudiar enseñanzas bíblicas**	
	3) Evaluar lo antiguo a la luz de la teología	
	4) Nueva práctica cristiana contextualizada	

APÉNDICE 31

Tres contextos de desarrollo de liderazgo urbano cristiano

Rev. Dr. Don L. Davis

Efesios 4.11-12 - Y él mismo constituyó a unos, apóstoles; a otros, profetas; a otros, evangelistas; a otros, pastores y maestros, **[12]** a fin de perfeccionar a los santos para la obra del ministerio, para la edificación del cuerpo de Cristo

Tres contextos de la función del liderazgo

I. Formar, dirigir y reproducir la vida y ministerio dinámico de un grupo de hogar
- Internamente (discipulado, compañerismo, cuidado pastoral, etc.)
- Externamente (evangelización, servicio, testimonio)

II. Facilitar y reproducir vitalidad y ministerio congregacional

III. Nutrir y cultivar apoyo inter-congregacional cooperación y colaboración

Dios ha comisionado líderes en la Iglesia para equipar a los cristianos para "la obra del ministerio", a fin de que ellos puedan andar dignos del Señor en todas las cosas, producir fruto abundante en Cristo, ganar, dar seguimiento y discipular a los miembros dentro de su *oikos* (su familia, amigos y asociados), y ser celosos de buenas obras para revelar la vida del Reino

Menos que todos nosotros

"Nosotros" (mi iglesia)

Más que todos nosotros

Grupo de hogar

Forma congregacional

Dios le ha dado a la Iglesia líderes facultados con dones - apóstoles, profetas, evangelistas, pastores y maestros a fin de que la "Iglesia Congregada" sea edificada y equipada para cumplir su misión y ministerio mientras se moviliza, como individuos, en el mundo. **Lucas 10.2-3 (LBLA)**, Y les decía: La mies es mucha, pero los obreros pocos; rogad, por tanto, al Señor de la mies que envíe obreros a su mies. **[3]** Id; mirad que os envío como corderos en medio de lobos.

Cualquier parte (por ejemplo: grupo de célula, grupo de damas, grupo de oración, grupos de estudios bíblicos, escuela dominical, equipo de alcance a la comunidad, equipo de cárceles, etc.) que sea reconocida por la iglesia

La iglesia como una entidad, desde una congregación de casa hasta una mega-iglesia (es decir, cualquier reunión de creyentes quienes se identifican unos con otros, ofrendan y sirven juntos, bajo una cabeza pastoral donde su presencie y alianza son demostradas y conocidas)

La iglesia local (sitio/lugar)

Forma congregacional

Grupo de hogar

"La iglesia congregada"

Según algunos lingüistas bíblicos, la frase en el NT de la iglesia en asamblea, *en ekklesia*, se aplica a la expresión local del pueblo de Dios cuando ellos "se reúnen *como iglesia*", véase 1 Ccr. 11.18. El pueblo de Dios, por lo tanto, puede ser llamado "iglesia/asamblea", es decir, aquellos quienes por fe en Jesucristo y en su Espíritu Santo ahora representan a los llamados en un lugar y local particular.

Grupos de iglesias que se unen en redes para apoyo mutuo, refrescamiento, servicio y misión (e.g., asociaciones, denominaciones, conferencias, etc.)

A P É N D I C E   3 2
Cuatro contextos del desarrollo del liderazgo urbano cristiano
Rev. Dr. Don L. Davis

1. Amistades personales, mentoría y discipulado

2. Nutrición en grupos pequeños y grupos celulares

3. Vida y gobierno congregacional

4. Cooperación y colaboración inter-congregacional

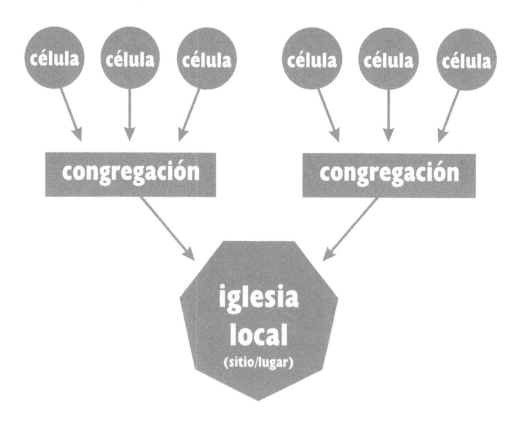

APÉNDICE 33

Invertir, facultar y evaluar

La forma en que el liderazgo como representación provee libertad para innovar

Rev. Dr. Don L. Davis

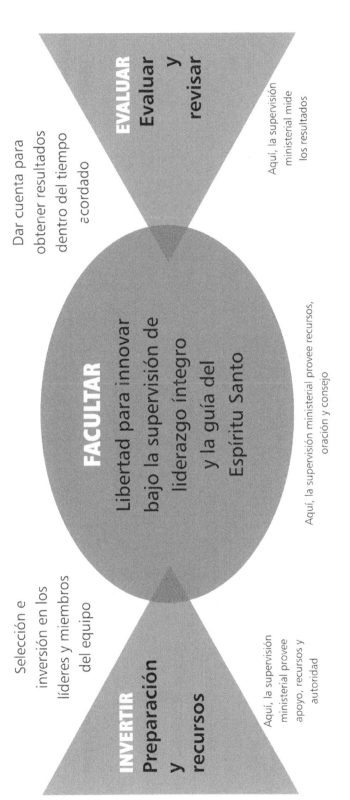

Dar cuenta para obtener resultados dentro del tiempo acordado

EVALUAR
Evaluar y revisar

Aquí, la supervisión ministerial mide los resultados

FACULTAR
Libertad para innovar bajo la supervisión de liderazgo íntegro y la guía del Espíritu Santo

Aquí, la supervisión ministerial provee recursos, oración y consejo

Selección e inversión en los líderes y miembros del equipo

INVERTIR
Preparación y recursos

Aquí, la supervisión ministerial provee apoyo, recursos y autoridad

Evaluación al enviar representantes
Revisar resultados a la luz de la tarea antes asignada
Fidelidad y lealtad evaluada
Evaluación general del plan y estrategia
Evaluación crucial de rendimiento del liderazgo
Determinación formal del "éxito" de la operación
Reasignación a la luz de la evaluación

Selección formal de liderazgo
Reconocimiento del llamado personal
Determinación de tareas y asignaciones
Entrenamiento para la guerra espiritual
Autorización para actuar definida y dada
Recursos necesarios dados y logísticas planeadas
Comisión: cargo formalmente reconocido

A P É N D I C E 3 4

Jesús como el representante escogido de Dios

Rev. Dr. Don L. Davis

Para representar a otro

Es elegido para estar en lugar de otro, y así cumplir con las tareas asignadas, ejerciendo derechos y sirviendo como representante, así como para hablar y actuar con la autoridad de otro a favor de sus intereses y reputación.

El ministerio público de predicación de Jesucristo
Comunicación del representante de Dios

Marcos 1.14-15 "Después que Juan fue encarcelado, Jesús vino a Galilea predicando el evangelio del reino de Dios, **[15]** diciendo: El tiempo se ha cumplido, y el reino de Dios se ha acercado; arrepentíos, y creed en el evangelio".

La tentación de Jesucristo
El desafío y la oposición del representante de Dios

Marcos 1.12-13
"Y luego el Espíritu le impulsó al desierto. **[13]** Y estuvo allí en el desierto cuarenta días, y era tentado por Satanás, y estaba con las fieras; y los ángeles le servían".

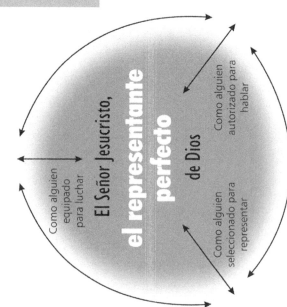

El Señor Jesucristo, **el representante perfecto** de Dios

Como alguien autorizado para hablar

Como alguien equipado para luchar

Como alguien seleccionado para representar

Jesús cumple las obligaciones de ser un emisario

1. La tarea es recibida,
   Juan 10.17-18
2. La encomienda es conferida,
   Juan 3.34; Lucas 4.18
3. Es lanzado a la lucha,
   Juan 5.30
4. Es respondido con una evaluación,
   Mateo 3.16-17
5. Nueva tarea luego de la evaluación,
   Filipenses 2.9-11

El bautismo de Jesucristo
Comisión y confirmación del representante de Dios

Marcos 1.9-11 "Aconteció en aquellos días, que Jesús vino de Nazaret de Galilea, y fue bautizado por Juan en el Jordán. **[10]** Y luego, cuando subía del agua, vio abrirse los cielos, y al Espíritu como paloma que descendía sobre él. **[11]** Y vino una voz de los cielos que decía: Tú eres mi Hijo amado; en ti tengo complacencia".

A P É N D I C E 3 5

Delegación y autoridad en el liderazgo cristiano

Rev. Dr. Don L. Davis

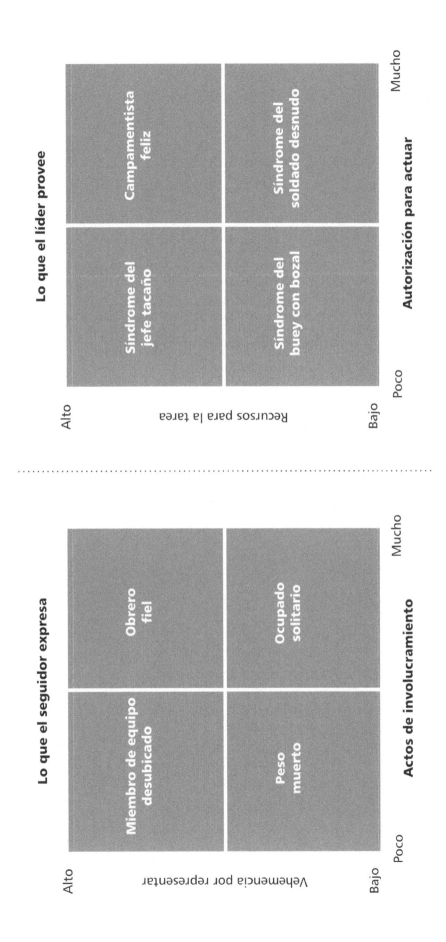

A P É N D I C E   3 6

Representando al Mesías

Rev. Dr. Don L. Davis

"Gentilización" de expresiones modernas de la fe cristiana

Contextualización: libertad en Cristo para enculturar el evangelio

Representación moderna común de la esperanza mesiánica como fe gentil

Tendencia de la tradición/cultura de usurpar la autoridad bíblica

Eclipse presente del marco bíblico por los "cautivados"

Fuego extraño en el altar: ejemplos de cautivados por lo socio-cultural

Nacionalismo	Existencialismo personal
Capitalismo	Ascetismo/moralismo
Racionalismo científico	Etnocentrismo
Denominacionalismo	Vida nuclear de familia

Crítica de Jesús al cautiverio socio-cultural

Atadura a la tradición religiosa, Mat. 15.3-9

Ignorancia de las Escrituras y el poder de Dios, Mat. 22.29

Esfuerzo celoso sin conocimiento, Rom. 10.1-3

Hábitos hermenéuticos que llevan a la fe sincretista

Escoger textos selectivamente

Tradición vista como el canon

Lecturas de textos culturales

Predicar y enseñar basados en la exégesis y la audiencia

Evitar la autocrítica de nuestra doctrina y práctica

Apologética de la identidad socio-cultural

"Parálisis paradigmática" y fe bíblica

Ceguera frente a las propias limitaciones históricas

Ventajas y perspectivas limitadas

Privilegio y poder: Manipulación política

Incapacidad de recibir críticas o evaluaciones

Persecución de las perspectivas opuestas y de las nuevas interpretaciones de la fe

Redescubrir las raíces hebreas de la esperanza bíblica mesiánica (regreso)

Reconocer la capacidad socio-cultural de la profesión Cristiana (Exilio)

Presentar nuevamente al Mesías Yeshúa con pasión y claridad

con fidelidad a la Escritura y en sincronización con la ortodoxia histórica sin distorsión cultural sin inclinación teológica

Redescubrir los orígenes judíos de la fe bíblica, Juan 4.22

Yahweh como el Dios bondadoso fiel a su pacto

Cumplimiento mesiánico en el AT: profecía, tipo, historia, ceremonia y símbolo

Raíces hebraicas de la Promesa: Yahweh como Dios Guerrero

El pueblo de Israel como la comunidad mesiánica de esperanza

Salmos y profetas enfatizan el gobierno divino del Mesías

Rastreando la simiente

Simiente de la mujer, Gén. 3.15

Simiente de Sem, Gén. 9.26-27

Simiente de Abraham, Gén. 12.3

Simiente de Isaac y Jacob, Gén. 26.2-5; 28.10-15

Simiente de Judá, Gén. 49.10

Simiente de David, 2 Sam. 7

El Siervo Sufriente de Yahweh: humillación y humildad del rey davídico de Dios

Vislumbre de la salvación de los gentiles y la transformación global

Vivir la aventura del misterio apocalíptico (posesión)

Apocalíptico como la "lengua madre y lenguaje nativo" de los apóstoles y la iglesia primitiva como una comunidad escatológica

Mesías Yeshúa como el Guerrero Cósmico: Yahweh como Dios que gana la victoria final sobre sus enemigos

El Mesías Yeshúa como el Ungido y el que ata al hombre fuerte: la edad mesiánica venidera inaugurada con Jesús de Nazaret

Reino orientado a "El YA pero Todavía NO": El reinado de Dios manifestado pero aún no consumado

La evidencia y garantía de la edad venidera: El Espíritu como el depósito, los primeros frutos y el sello de Dios

APÉNDICE 37

"Puedes pagarme ahora, o puedes pagarme después"

Rev. Dr. Don L. Davis

Enfermedad, fatiga, dolor, agotamiento

Fatiga, desaliento, estrés, presión sicológica

Rechazo, persecución, ser tenidos por extranos injustamente

El precio a pagar

Pérdidas materiales, pobreza, necesidades económicas, carencia de bienes y servicios

Vulnerabilidad de los hijos, presión marital y familiar, pérdida de galantería y romance

Soledad, falta de amigos, abandono, sufrimiento y dolor físicos

Ataque espiritual, crueldad, oposición de los enemigos del Señor

APÉNDICE 38

Rev. Dr. Don L. Davis

Impedimentos para un servicio semejante al de Cristo

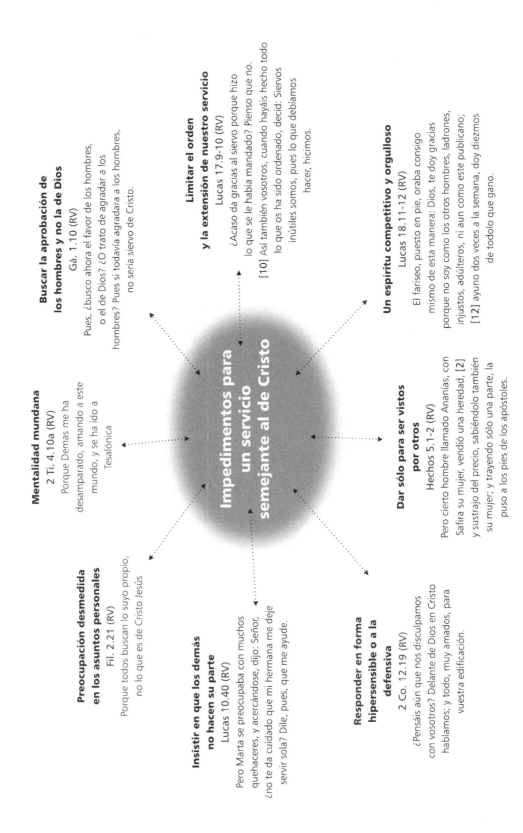

Impedimentos para un servicio semejante al de Cristo

Buscar la aprobación de los hombres y no la de Dios
Gá. 1.10 (RV)
Pues, ¿busco ahora el favor de los hombres, o el de Dios? ¿O trato de agradar a los hombres? Pues si todavía agradara a los hombres, no sería siervo de Cristo.

Limitar el orden y la extensión de nuestro servicio
Lucas 17.9-10 (RV)
¿Acaso da gracias al siervo porque hizo lo que se le había mandado? Pienso que no. [10] Así también vosotros, cuando hayáis hecho todo lo que os ha sido ordenado, decid: Siervos inútiles somos, pues lo que debíamos hacer, hicimos.

Un espíritu competitivo y orgulloso
Lucas 18.11-12 (RV)
El fariseo, puesto en pie, oraba consigo mismo de esta manera: Dios, te doy gracias porque no soy como los otros hombres, ladrones, injustos, adúlteros, ni aun como este publicano; [12] ayuno dos veces a la semana, doy diezmos de todolo que gano.

Mentalidad mundana
2 Ti. 4.10a (RV)
Porque Demas me ha desamparado, amando a este mundo, y se ha ido a Tesalónica

Dar sólo para ser vistos por otros
Hechos 5.1-2 (RV)
Pero cierto hombre llamado Ananías, con Safira su mujer, vendió una heredad, [2] y sustrajo del precio, sabiéndolo también su mujer; y trayendo sólo una parte, la puso a los pies de los apóstoles.

Preocupación desmedida en los asuntos personales
Fil. 2.21 (RV)
Porque todos buscan lo suyo propio, no lo que es de Cristo Jesús

Responder en forma hipersensible o a la defensiva
2 Co. 12.19 (RV)
¿Pensáis aún que nos disculpamos con vosotros? Delante de Dios en Cristo hablamos; y todo, muy amados, para vuestra edificación.

Insistir en que los demás no hacen su parte
Lucas 10.40 (RV)
Pero Marta se preocupaba con muchos quehaceres, y acercándose, dijo: Señor, ¿no te da cuidado que mi hermana me deje servir sola? Dile, pues, que me ayude.

APÉNDICE 39
El ministerio de alabanza y adoración
Rev. Dr. Don L. Davis

El llamado especial al ministerio de alabanza y adoración

La alabanza que vence no es simplemente la alabanza ocasional que fluctúa según el humor a las circunstancias. Es una alabanza continua, una vocación, un estilo de vida. "Bendeciré al Señor en todo tiempo; su alabanza estará de continuo en mi boca" (Salmos 34.1). Bienaventurados los que habitan en tu casa; perpetuamente te alabarán". (Salmos 84.4). Se ha dicho que es tan importante la alabanza en el cielo, que ciertos seres espirituales se dedican totalmente a la misma (Apocalipsis 4.8). Dios le dio al rey David tal revelación de la importancia y el poder de la alabanza sobre la tierra, que siguiendo el modelo divino, separó y dedicó un ejército de cuatro mil levitas cuya única ocupación era alabar a Dios (1 Crónicas 23.5). No hacían nada más. Uno de los actos oficiales del rey David antes de su muerte fue la organización de un programa formal de adoración. Cada mañana y cada noche un contingente de esos cuatro mil levitas se unía en este servicio: "y para asistir cada mañana todos los días a dar gracias y tributar alabanzas a Jehová, y asimismo por la tarde" (1 Crónicas 23.30). Para vergüenza y fracaso de la iglesia, la importancia del contenido de la alabanza masiva en la Palabra ha sido largamente pasada por alto. La alabanza más efectiva debe ser masiva, continua, un hábito fijo, una ocupación de tiempo completo, una vocación diligentemente perseguida, un estilo total de vida. Este principio se enfatiza en Salmos 57.7: "Pronto está mi corazón, oh Dios, mi corazón está dispuesto; cantaré, y trovaré salmos". Esto sugiere un hábito premeditado y predeterminado de alabanza. "Mi corazón esta DISPUESTO". Esta clase de alabanza depende de algo más que de una euforia temporal.

~ Paul Billheimer, **Destined for the Throne**, pp. 121-22.

I. Objetivo centrado en exaltar a Dios, Sal. 150.5; Ap. 4.11; Sal. 29.1-2

A. "Por eso es que lo alabamos, por eso es que cantamos"

1. Para expresar nuestro gozo en Dios en el Espíritu Santo

2. Para reconocer la gracia de Dios en la persona de Jesucristo

3. Para experimentar la presencia de Dios

4. Para ver la belleza de Dios en medio de su pueblo

B. Adorar no es

1. Sólo buena música

2. Liturgias realizadas profesionalmente

El ministerio de alabanza y adoración (continuación)

    3.   Instrumentos y equipos extraordinarios

  C. La adoración representa la expresión del corazón salvado que se acerca al Padre a través del Hijo en el poder del Espíritu Santo sólo para su alabanza y gloria (Juan 4.24)

  D. La dirección de la adoración es como una lámpara de luz GE

    1.   Cuando es más efectiva, no se nota, sólo los efectos de su trabajo

    2.   Sólo le presta atención cuando no funciona

II. La meta: Reconocer y alabar la excelencia de Dios en cada dimensión de nuestra vida, nuestra alabanza a Dios, 1 Pe. 2.8-9

Principios de una dirección efectiva de adoración

I. Para ser un líder efectivo de adoración uno debe entender la naturaleza, diseño, e importancia de la misma.

  A. Adoración como una búsqueda espiritual (*darash*), Esdras 4.2, 6.21

  B. Adoración como una obediencia reverente (*yare*), Ex.14.31; Dt.31.12-13

  C. Adoración como un servicio leal (*abad*), Ex. 5.18; Nm. 8.25

  D. Adoración como un ministerio personal (*sharat*), Dt. 10.8, 18.5-7

  E. Adoración como una genuina humildad (*shaha*), mas común, Is. 49.7; Gn. 47.31; Ex. 34.8 comp. Is. 66.2

El ministerio de alabanza y adoración (continuación)

    F.   Adoración como postrarse en oración (*segid*), Dn. 3.5-7, 10-12, 14-18, 28

    G.   Adoración como una cercanía a Dios (*nagash*), Sal. 69.18; Is. 58.2

II. Para ser un líder efectivo de adoración por sobre todo se debe ser un adorador efectivo

    A.   Modelo: el principio cardinal del discipulado Cristiano

        1.   Lucas 6.40

        2.   1 Ti. 4.6-16

        3.   1 Co. 11.1

        4.   1 Co. 15.1-4

        5.   Fil. 3.12-15

        6.   Fil. 4.6-9

        7.   1 Pe. 5.1-4

    B.   Dios desea que le adoremos en espíritu y en verdad (Juan 4.34)

    C.   Con pasión incondicional: el árbol grande

        1.   Moisés, Éxodo 33-34

        2.   David, Sal. 27.1ff; 34.1-3; 104

        3.   Pablo, Fil.1.18-21

III. Para ser un líder efectivo de adoración uno debe entender los principios y prácticas de la adoración en la manera que se han mostrado en la historia de los santos

    A.   Teología litúrgica

El ministerio de alabanza y adoración (continuación)

      1.   La teología litúrgica no se enfoca primordialmente en los datos de la Biblia

      2.   Se concentra en la historia de la Iglesia, esto es, lo que la Iglesia ha hecho en su práctica en la historia para dar gloria y honor a Dios

      3.   Uso de la razón y sociología

B. Tendencias hacia la falta de profundidad: el problema de ignorar la práctica de la adoración histórica en la Iglesia

      1.   Ignorar todo lo que ha pasado antes, concentrándonos en lo que nos gusta y en lo que hemos hecho

      2.   Ignorar el poder del Espíritu Santo y su obra en el pasado

      3.   Negar la unción que Dios ha dado a su pueblo a lo largo de cada era

      4.   Decepcionar a los que dirige aislándolos de sus hermanos y hermanas de tiempos pretéritos

C. Puntos de vista en relación a la teología litúrgica

      1.   *Punto de vista Anabaptista:* reproduce la práctica inmutable del NT

      2.   *Punto de vista Luterano, Anglicano, Reformado:* principios bíblicos y condiciones cambiables

      3.   *Práctica de la sinagoga judía:* innovación (cosas incluidas en la práctica de la Sinagoga Judía que no estaban en el AT)

      4.   *Práctica de la historia cristiana:* cultural, fluida, de acuerdo a la Escritura

D. Teología doxológica (según Robert Webber)

      1.   Cómo la adoración judía y cristiana puede informar la teología

      2.   Explicar en forma precisa cuál es la unión entre la teología y la adoración, Fil. 2.5-11

      3.   Bosquejo histórico de la teología a través de un estudio detallado de la adoración.

El ministerio de alabanza y adoración (continuación)

E. Asunto clave de la teología litúrgica: el calendario litúrgico (la historia de Dios en el servicio de la Iglesia)

    1. Judaísmo

        a. Elabora un calendario anual de días santos en el judaísmo (similar en alguna manera al calendario católico)

        b. Uno semanal (Sabático), uno mensual (la nueva luna)

        c. Levítico 23 como descripción bíblica de algunos festivales y fiestas claves

        d. Todos los días festivos incluían fiestas, con la excepción del Día de Expiación (de ayuno)

        e. Fiesta de Purim añadida después, junto con la Dedicación (comp. John 10.22)

        f. Adoración como una actuación ritual (recordatorio y re-promulgación)

    2. Cristiandad Gentil (después del primer siglo)

        a. Eximida literalmente de obedecer la ley (*Concilio de Jerusalén*, Hechos 15)

        b. Destrucción del templo en 70 AC, prominencia de forma gentil

        c. Calendario cristiano consistió en breves días-santos cristianos de ahí en adelante

        d. Domingo, El Día del Señor

        e. Ayunos los miércoles y viernes (contrariamente a los Judíos de lunes y jueves)

        f. Prestado del judaísmo – Cuaresma (*Pascha*, e.d., la Pascua)

        g. Día de la Ascensión, Epifanía, y Navidad

        h. Domingo de la Trinidad (10th c., occidente)

F. Resumen de la teología litúrgica: celebra el curso de la historia de la Revelación, la cual culmina con la vida, muerte, exaltación, y regreso de Cristo

El ministerio de alabanza y adoración (continuación)

IV. Para ser un líder efectivo de adoración se debe entender específicamente y bíblicamente el poder y la importancia de la música

A. El poder de la música

1. Como una fuerza espiritual

2. Como un fenómeno cultural

3. Como una respuesta emocional

4. Como una forma de comunicación

5. Como una expresión artística

B. Amar la música como expresión de su corazón al Señor: Salmo 150 (la adoración debe ser libre, no diluída, de gran energía, entusiasta, y no se la debe negociar)

C. Aprender a ser miembro de una banda: el poder de la contribución

1. Banda vs. individuo

2. Elementos de contribución

a. Desarrollar un oído para "nuestro sonido": cumplir un papel en el equipo

b. Cosas a corregir: una contribución demasiado floja

c. Aprender a frenar: fomentar un sonido sólo cuando contribuye

d. Su meta: "Procuro tocar mi instrumento según lo que cada canción requiera, de modo que se pueda cumplir con el objetivo que perseguimos en unidad".

D. Dominar y emplear los *bloques básicos de construcción* de la música.

1. Ritmo

2. Tiempo

El ministerio de alabanza y adoración (continuación)

       3. Melodía

       4. Armonía

       5. Letras

       6. Dinámicas

   E. La importancia de ensayar regularmente

       1. Solo

       2. Juntos

   F. Familiaridad: que su instrumento sea su mejor "amigo"

V. Para ser un líder efectivo de adoración debemos concentrarnos en dominar la música e identificarnos con los dones y pasiones de la adoración

   A. El dominio viene con la disciplina: 1 Ti. 4.7-8

   B. Identifique cuáles son sus mejores dones (bajo escrutinio de la crítica amorosa)

       1. ¿Es mi voz?

       2. ¿Es la ejecución de un instrumento?

       3. ¿Son ambas? ¿No es ninguna? ¿Hay algo más?

   C. Diseñe sus temas de adoración y grupos de música de acuerdo al culto.

       1. En conjunción con el tema: formando relaciones, conexiones, y asociaciones.

El ministerio de alabanza y adoración (continuación)

       a.   Alabanza de invocación y apertura: invitar a los santos a la adoración ("Ven, es tiempo de adorarle")

       b.   Celebración gozosa en la presencia del Señor ("Traemos sacrificio de alabanza")

       c.   Alabanza y adoración ("Declaramos tu majestad")

       d.   Compromiso y Bendición ("Arriba los corazones")

  2.   En conjunción con la proclamación de la Palabra del Señor

  3.   En conjunción con los estilos

  4.   En conjunción con la variación del tiempo

D. Déle forma a cada canción dentro de su programa

  1.   La canción como una historia: introducción, intermedio, transición y final.

  2.   El arte de la transposición, cambiar de tiempos, salida de las voces, etc.

  3.   Desde un arroyito, a un río, a los rápidos, y al océano

  4.   Evitando el problema de la "pared de sonido" asociado con los músicos jóvenes

E. Aprenda a asistir a cada miembro del equipo de adoración para que haga su propia contribución a la misma según lo que ellos son y hacen

  1.   No cante o toque simplemente, escúchese y contribuya

  2.   El ciclo interminable del ruido

       a.   Estamos tocando fuerte, no puedo escucharme a mí mismo

       b.   Subo mi volumen; otros no pueden escucharse; ellos también lo suben

       c.   Todos tocamos aun más fuerte ahora, nuevamente no me escucho

       d.   Etc.

El ministerio de alabanza y adoración (continuación)

F. Note la diferencia entre tocar vs. realzar la adoración del cuerpo

    1. Entre conducir un concierto o dirigir la adoración

    2. Entre resaltar su forma de tocar o el contribuir al sentimiento y modo de la canción

    3. Entre embellecer nuestra canción juntos o tocar su instrumento

G. Obtenga y use el instrumento apropiado

    1. Haga la inversión financiera y emocional

        a. De parte de la iglesia: llegando a ser parte del presupuesto de la iglesia

        b. De parte del músico: invertir sabiamente en los materiales correctos

    2. Calidad

        a. Evitar los instrumentos más baratos

        b. Tampoco termine en la bancarrota

        c. Lo moderado no es malo hoy: las inversiones modestas pueden producir una buena calidad de CDs

    3. Darle sabor: el arte de mejorar el sonido

    4. "Menos es más": si tiene dudas, mejor enmudazca para un mayor impacto

VI. Para ser un líder de adoración efectivo se debe saber cómo construir y sostener un equipo de alabanza que esté enfocado

A. Las muchas voces, contribuciones, y talentos en coordinación = una mejor experiencia de adoración en la congregación

B. La importancia de la adoración como un *evento comunitario*

C. El principio Trinitario aplicado a la adoración: unidad, diversidad, e igualdad

El ministerio de alabanza y adoración (continuación)

1. La sinfonía como un modelo de adoración en la Iglesia de Jesucristo

2. Los estilos europeos dominan en iglesias estadounidenses

3. El Credo Niceno: la Iglesia es una, santa, apostólico y católica (universal)

   a. Cientos de estilos de alabanza

   b. Ofrecida a Dios en diversos lenguajes

   c. Etno-musicología - la ciencia del aprendizaje de la música humana

   d. Ninguna forma es superior; todas las formas son aceptables si son hechas en conjunción con los edictos bíblicos

4. Peligro de ignorar este principio: hegemonía de estilos y poder europeo

D. Tener normas y pólizas claras para todos los involucrados

E. Ser cuidadoso de no ser demasiado profesional; enfatizar la calidad de permitir una completa participación para el cuerpo

F. Ofrecer un liderazgo claro y alentador en todo tiempo

G. Reclutar a partir de una amplia base de personas

H. Organizarse para un máximo éxito y efectividad

VII. Para ser un líder efectivo de adoración uno debe usar los recursos en forma creativa, mezclando lo antiguo y lo nuevo (la ancestral y lo moderno) en adoración y alabanza

A. La amplitud de expresiones en la Iglesia de Jesucristo

1. La plétora bíblica: Apocalipsis 5 (de cada tribu, lengua, raza y nación)

El ministerio de alabanza y adoración (continuación)

2. En estos diversos estilos somos reflejados, expresados y deleitados

    a. Las diferencias de acuerdo al tiempo: estilos tradicionales versus estilos contemporáneos

    b. Diferencias de acuerdo a la cultura: música del sur con hip-hop

    c. Diferencias de acuerdo al volumen

    d. Diferencias de acuerdo a los significados de la música

3. La "pelea" es real y significativa

4. No "una cosa u otra" sino "ambas"

B. ¿Por qué es importante una adoración matizada?

1. La variedad es el sabor de la vida, y la naturaleza de la persona de Dios y su obra

2. Para escuchar la fresca voz del Señor: es la envoltura de lo contemporáneo

3. Para recordar el trabajo del Señor en el pasado: en el caso de lo tradicional

C. Los desperdicios de una persona son la riqueza de otra: la tiranía y las fases del etnocentrismo (ver Hechos 10: Pedro y la reacción del grupo judío en el caso de Cornelio)

1. Fase uno: la nuestra es *preferida* por sobre la de ellos

2. Fase dos: la nuestra es *mejor* que la de ellos

3. Fase tres: la nuestra es la *correcta*, la suya es algo dudosa

4. Fase cuatro: la mía es ordenada por Dios y *superior*, y la de todos los demás es rara y está equivocada

D. Entremezclar: afirma la importancia de las diferentes expresiones y el mantener la tradición en nuestra experiencia de adoración a Dios. ¿Cómo entremezcla usted?

1. En las canciones que elige

El ministerio de alabanza y adoración (continuación)

    2. En los estilos que toca

    3. En la instrumentación que elige

    4. En los arreglos vocales que escoge

  E. Respetar las diferencias al permitir preferencias y auto-expresiones: el desafío constante del líder de adoración

    1. Integrar el servicio con una genuina apreciación de estilos

    2. Acercar estilos al tocar la misma música en diferentes maneras

VIII. El resumen de la adoración: Glorificar a Dios en una placentera armonía con Él

  A. Miembros de la casa de Dios: la adoración es la expresión de las almas salvadas.

  B. Se edifica sobre el fundamento de los apóstoles y profetas, con Jesucristo como el Jefe y la Piedra Angular: la adoración es una respuesta a la auto-revelación histórica de Dios a través de su Palabra

  C. Unidos como un templo santo en el Señor: adoramos como el pueblo de Dios, convirtiéndonos en un santo santuario donde moran Sus alabanzas

  D. Somos edificados como una morada para Dios por el Espíritu: somos el lugar donde se originan las alabanzas a Dios, que es donde Él mora

  E. Todo lo que somos y hacemos puede armonizar como líderes, congregación, y equipo de adoración, para ser una ofrenda dulce y pura en la cual more nuestro Dios.

Ef. 2.19-22 (BLS)
Por eso, para Dios ustedes ya no son extranjeros. Al contrario, ahora forman parte del pueblo de Dios y tienen todos los derechos; ahora son de la familia de Dios.20 Todos los de la iglesia son como un edificio construido sobre la enseñanza de los apóstoles y los profetas, y en ese edificio Jesucristo es la piedra principal.21 Es él quien mantiene firme todo el edificio y lo hace crecer, hasta formar un templo dedicado al Señor. 22 Por su unión con Jesucristo, ustedes también forman parte de ese edificio, donde Dios habita por medio de su Espíritu.

APÉNDICE 40

El año de la Iglesia (iglesia occidental)

Instituto Ministerial Urbano

El propósito del calendario litúrgico es realzar los mayores eventos de la vida de Jesús en tiempo real.

Fecha	Evento	Propósito
Comienza a fines de Nov. o comienzos de Dic.	Adviento	Una estación de anticipación y arrepentimiento que se enfoca en la primera y segunda venida de Cristo. El enfoque doble significa que en el Adviento comienza y termina el año cristiano (Is. 9.1-7, 11.1-16; Marcos 1.1-8).
Dic. 25	Navidad	Celebración del nacimiento de Cristo (Lucas 2.1-20).
Ene. 6	Epifanía	La fiesta de Epifanía en enero 6 conmemora la venida de los magos, lo que revela la misión de Cristo en el mundo. Toda la Epifanía enfatiza la manera en que Cristo se revela a sí mismo al mundo como el Hijo de Dios. (Lucas 2.32; Mateo 17.1-6; Juan 12.32).
7o. miércoles antes de la Resurrección	Miércoles de Ceniza	Un día de ayuno y arrepentimiento que nos recuerda que somos discípulos y que vamos a comenzar la jornada con Jesús, la cual termina en la cruz (Lucas 9.51). Miércoles de Ceniza, comienza con la Cuaresma.
40 días antes de la Resurrección (excluyendo domingos)	Cuaresma	Tiempo para reflexionar en el sufrimiento y muerte de Jesús. Tiempo que enfatiza "la muerte de uno mismo" para que, como Jesús, nos preparemos para obedecer a Dios, no importa qué sacrificio implique. La Cuaresma invita a las personas a ayunar como una manera de afirmar su actitud de obediencia (Lucas 5.35; 1 Co. 9.27; 2 Ti. 2.4; Heb. 11.1-3).
Movible dependiendo en la fecha del Domingo de Resurrección que ocurre en Marzo o Abril	Semana Santa	*Domingo de Ramos* El Domingo antes de la Resurrección que conmemora la entrada triunfal de Cristo (Juan 12.12-18). *Jueves santo** El Jueves antes de la Resurrección que conmemora el recibir el Nuevo Mandamiento y la Cena del Señor antes de la Muerte de Cristo (Mc. 14.12-26; Juan 13) (*Del Latin *mandatum novarum - "nuevo mandamiento"*) *Viernes santo* El Viernes antes de la Resurrección que conmemora la crucifixión de Cristo (Juan 18-19). *Domingo de Resurrección* El Domingo que se celebra la resurrección de Cristo (Juan 20).
40 días Después de Resurrección	Día de la Ascensión	Celebra la ascensión de Cristo al cielo cuando Dios "lo sentó a su diestra en el cielo, más allá de toda regla y autoridad, poder y dominio, y cada título que le puede ser dado, no sólo en la presente era sino también en la venidera" (Ef. 1.20b-21; 1 Pe. 3.22; Luc. 24.17-53).
7o. Domingo de Resurrección	Pentecostés	El día en que se conmemora la venida del Espíritu Santo a la Iglesia. Jesús está ahora presente con todo su pueblo (Juan 16; Hechos 2).
Nov. 1	El día de Todos los Santos	Un tiempo para recordar aquellos héroes de la fe que fueron antes de nosotros (especialmente aquellos que murieron por el evangelio). Ahora el Cristo vivo es visto en el mundo a través de las palabras y los hechos de su pueblo (Juan 14.12; Heb. 11; Ap. 7.6).

El año de la Iglesia (continuación)

El año de la iglesia sigue el orden de los evangelios y del libro de Hechos

- Comienza con el nacimiento de Cristo (adviento y Epifanía).

- Luego se enfoca cuando revela su misión al mundo (Epifanía).

- Nos recuerda que Jesús mira hacia Jerusalén y la cruz (Miércoles de Ceniza y Cuaresma).

- Hace una crónica de su semana final, su crucifixión y resurrección (Semana santa).

- Afirma su ascensión a la derecha del Padre en gloria (Día de la ascensión).

- Celebra el nacimiento de su iglesia por el ministerio del Espíritu (Pentecostés).

- Recuerda la historia de su iglesia a través de los años (Día de todos los santos).

- En el adviento termina el ciclo y comienza nuevamente. La Segunda Venida es la conclusión del año de la iglesia, preparándose para recordar nuevamente su primera venida, permitiéndonos comenzar el año de la iglesia con frescura.

Nacimiento
⇩
Ministerio
⇩
Pasión
⇩
Ascensión
⇩
Descenso del Espíritu
⇩
La Iglesia a través de los años
⇩
Segunda Venida

Colores asociados con el año de la iglesia

Estación de Navidad (Día de Navidad al comienzo de la Epifanía) - *Blanco y Dorado*

Estación de Epifanía - *Verde*

Miércoles de Ceniza y Cuaresma - *Morado*

Semana Santa

Domingo de Palmas - Morado

Jueves Santo - Morado

Viernes Santo - Negro

Domingo de Resurrección - Blanco y Dorado

Día de la Ascensión - *Blanco y Dorado*

Pentecostés - *Rojo*

Día de Todos los Santos - *Rojo*

Estación de Adviento (Cuarto domingo antes de Navidad hasta la noche antes de Navidad) - *Morado*

El Significado de los Colores

Negro
Luto, muerte

Oro
Majestad, gloria

Verde
Esperanza, vida

Morado
Realeza, arrepentimiento

Rojo
Santo Espíritu (llama), martirio (sangre)

Blanco
Inocencia, santidad, gozo

APÉNDICE 41

Una guía para determinar su perfil de adoración

Tomado de Robert Webber, Planning Blended Worship, Nashville: Abingdon Press, 1998

1. ¿Cuál de las siguientes categorías describe mejor a su iglesia?

   _____ Afectada por lo Católico y la línea principal de renovación de la adoración

   _____ Afectada por lo pentecostal, carismático, o renovación de alabanza y adoración

   _____ Afectada por el movimiento que mezcla la alabanza tradicional y contemporánea

   _____ No es afectada por ningún movimiento de renovación de la adoración

2. Identifique la edad de los que conforman su iglesia

   _____% de gente en nuestra iglesia nació antes de 1945 (generación A)

   _____% de gente en nuestra iglesia nació entre 1945 y 1961 (generación B)

   _____% de gente en nuestra iglesia nació después de 1961 (generación C)

3. De los 8 elementos comunes de renovación en la adoración, ¿cuáles han impactado la adoración de su iglesia? Evalúe cada área en la escala de 1 (menos impactante) a 10 (más impactante). Luego tome el tiempo para discutir las áreas mas débiles.

   a. Nuestra iglesia tiene un entendimiento bíblico de la adoración.　　1　2　3　4　5　6　7　8　9　10

   b. La adoración de nuestra iglesia viene del pasado, en especial de la Iglesia primitiva.　　1　2　3　4　5　6　7　8　9　10

   c. Nuestra iglesia tiene nuevo enfoque de la adoración en la reunión del domingo　　1　2　3　4　5　6　7　8　9　10

   d. Nuestra iglesia extrae música de toda la Iglesia.　　1　2　3　4　5　6　7　8　9　10

   e. Nuestra iglesia ha restaurado el uso de las artes.　　1　2　3　4　5　6　7　8　9　10

   f. Nuestra iglesia sigue el calendario del año cristiano efectivamente.　　1　2　3　4　5　6　7　8　9　10

   g. Nuestra iglesia ha experimentado la restauración de la vida en las acciones sagradas de adoración　　1　2　3　4　5　6　7　8　9　10

   h. La adoración de nuestra iglesia fortalece sus ministerios de evangelización.　　1　2　3　4　5　6　7　8　9　10

Una guía para determinar su perfil de adoración (continuación)

4. Evalúe el contenido, estructura y estilo de su adoración. Otra vez, use la escala de 1 ("No describe a nuestra iglesia en nada") al 10 ("Sí, esa es mi iglesia"). Discuta las áreas más débiles.

   a. El contenido de nuestra adoración es la historia completa de las Escrituras.   1 2 3 4 5 6 7 8 9 10

   b. La estructura de nuestra adoración es aceptada universalmente.   1 2 3 4 5 6 7 8 9 10

   c. El estilo de nuestra adoración es apropiado para la congregación y a la gente que atraemos.   1 2 3 4 5 6 7 8 9 10

5. Conteste lo siguiente:

   a. La adoración de nuestra iglesia está basada en: lenguaje conceptual o lenguaje simbólico

   b. El estilo de comunicación de nuestra iglesia se relaciona mejor a:
   generación A, generación B, generación C (ver página 259), o todas las anteriores

6. Yo describiría nuestra iglesia como: una iglesia de paradigmas antiguos o una iglesia de paradigmas nuevos

7. De cada pregunta anterior trata de crear un perfil sobre la adoración de su iglesia. Hágalo completando cada una de las siguientes oraciones:

   a. Nuestra iglesia ha sido afectada por (cuál corriente de renovación de adoración)

   b. Nuestro grupo de edad es primariamente

   c. De los ocho aspectos de renovación de la adoración, nosotros somos

   d. El contenido de nuestra adoración es

   e. La estructura de nuestra adoración es

   f. El estilo de nuestra adoración es

   g. Nuestro enfoque de la comunicación es

8. Para completar este estudio, comente sobre las clases de cambios que le gustaría que ocurran en la adoración de su iglesia.

A P É N D I C E   4 2

Entendiendo el liderazgo como una representación

Las seis etapas del poder formal

Rev. Dr. Don L. Davis

Lucas 10.1 Después de estas cosas, designó el Señor también a otros setenta, a quienes envió de dos en dos delante de él a toda ciudad y lugar adonde él había de ir...

Lucas 10.16 "El que a vosotros oye, a mí me oye; y el que a vosotros desecha, a mí me desecha; y el que me desecha a mí, desecha al que me envió".

Juan 20.21 Entonces Jesús les dijo otra vez: "Paz a vosotros. Como me envió el Padre, así también yo os envío".

CONVICCIÓN

CONCIENCIA

CARÁCTER

Liderazgo como representación

La voluntad revelada de Dios

Consentimiento de sus líderes

Cumplimiento de la tarea y misión

Comisión (1)

Selección formal y llamamiento a representar
- Elegido para ser un emisario, enviado o delegado
- Confirmado por alguien adecuado que reconoce el llamamiento
- Es un miembro reconocido de una comunidad fiel
- Llamamiento de un grupo a un papel particular de representación
  - Llamamiento a una tarea o misión particular
  - Delegación de posición o responsabilidad

Preparación (2)

Recursos y entrenamiento adecuados para cumplir el llamamiento
- Asignación a un supervisor, superior, mentor o instructor
- Instrucción disciplinada de principios del llamamiento
  - Simulacros constantes, prácticas y exposiciones a las habilidades adecuadas
  - Reconocimiento de dones y fortalezas
- Tutoría experta y retroalimentación constante

Encomendación (3)

Autoridad correspondiente y facultad para actuar
- Delegación de autoridad para obrar y hablar en representación de quien encomienda
- Amplitud y límites del poder provisto para representar
- Derecho formal para representar y hacer cumplir algo
- Permiso otorgado para ser un emisario (estar en lugar de)
- Libertad para cumplir la comisión y tarea recibidas

Misión (4)

Involucramiento fiel y disciplinado en la tarea
- Subordinación de la voluntad personal para cumplir la tarea
- Obediencia: implementar las órdenes de quienes le enviaron
- Cumplir la tarea que le fue dada
- Actuar con libertad dentro de la autoridad delegada para cumplir la tarea
- Permanecer leales a aquellos que le enviaron
- Usar todos los medios disponibles para cumplir la tarea, sea cual sea el costo
- Reconocimiento total de responder a quien(es) lo comisionó(aron)

Reconocimiento (5)

Evaluación oficial y repaso de la ejecución personal
- Informar a la autoridad que envía para que se evalúe
- Evaluación formal y entendible de la ejecución personal y los resultados
- Evaluación de la fidelidad personal
- Análisis sensible de lo que se logró
- Prontitud para asegurar que nuestras actividades y esfuerzos producen resultados

Recompensa (6)

Reconocimiento público y respuesta continua
- Publicación formal de los resultados alcanzados
- Reconocimiento del comportamiento y la conducta
- Recompensa o represión correspondiente por la ejecución
  - Repaso sirve de base para nueva tarea o comisión
- Establecer nuevos proyectos con mayor autoridad

A P É N D I C E   4 3

Diseñado para representar

Multiplicando discípulos del Reino de Dios

Rev. Dr. Don L. Davis • Lucas 10.16 (LBLA) - El que a vosotros escucha, a mí me escucha; y el que a vosotros rechaza, a mí me rechaza, rechaza al que me envió.

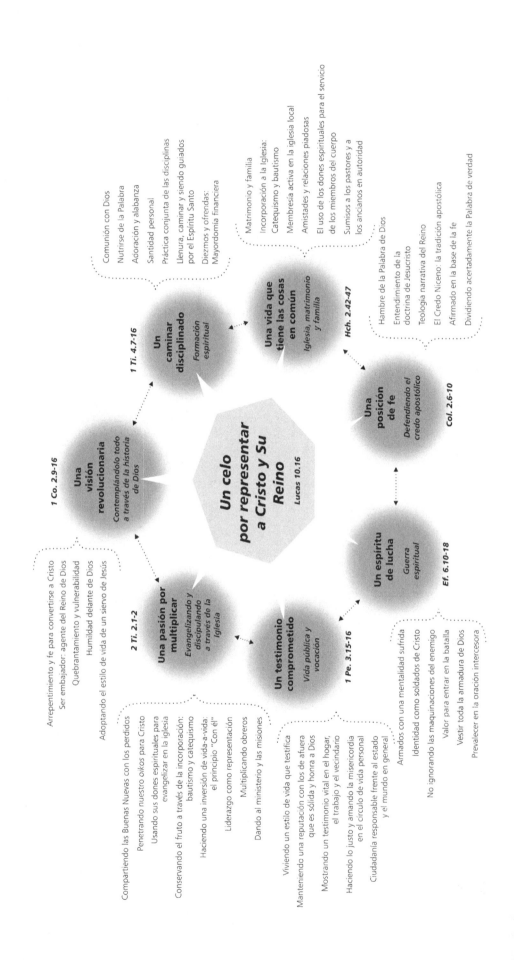

A P É N D I C E   4 4

Documentando su tarea
Una regla para ayudarle a dar crédito a quien merece crédito
Instituto Ministerial Urbano

Cómo evitar el plagio intelectual

El *plagio intelectual,* significa usar las ideas de otra persona como si fueran suyas sin darles el crédito debido. En cualquier tarea académica, *plagiar* o usar las ideas de otro sin darle crédito, es igual que robarle su patrimonio. Estas ideas pueden venir del autor de un libro, de un artículo que usted lea, o de un compañero de clase. El *plagio* se evita archivando e incluyendo cuidadosamente sus "notas prestadas" (notas del texto, notas al pie de la hoja del texto, notas al final de un documento, etc.), y citando las "Obras" donde aparecen las "notas prestadas", para ayudar a la persona que lee su tarea, a conocer cuando una idea es de su propia innovación o cuando la idea es prestada de otra persona.

Cómo usar referencias de las citas

Se requiere que agregue una cita, cada vez que use la información o texto de la obra de otra persona.

Todas las referencias de citas, tradicionalmente se han hecho de dos formas:

- Notas en el texto del proyecto o tarea estudiantil, agregadas después de cada cita que venga de una fuente exterior.

- La página de las "Obras citadas", está en la última hoja de la tarea. Ésta da información de la fuente citada en el proyecto o tarea.

Cómo anotar las citas en sus tareas

Hay tres formas básicas de notas: *Nota parentética, Nota al pie de la página,* y *Nota al final del proyecto.* En el INSTITUTO MINISTERIAL URBANO, recomendamos que los estudiantes usen notas parentéticas porque son las más fáciles de usar. Estas notas proveen: 1) el apellido del[os] autor[es]; 2) la fecha cuando el libro fue publicado; y 3) la[s] página[s] donde se encuentra la información. El siguiente es un ejemplo:

Aprender como usar referencias de las citas, es altamente importante ya que este conocimiento lo tendrá que usar con cualquier otro curso, secular o teológico. De ser así, su tarea siempre será considerada con más credibilidad y confianza.

Al tratar de entender el significado de Génesis 14.1-24, es importante reconocer que en las historias bíblicas "el lugar donde se introduce el diálogo por primera vez es un momento importante donde se revela el carácter del discursante . . ." (Kaiser y Silva 1994, 73). Esto ciertamente es evidencia del carácter de Melquisedec, quien confiesa palabras de bendición. Esta identificación de Melquisedec como una influencia positiva, es reforzada por el hecho que él es el Rey de Salén, ya que Salén significa "seguro, en paz" (Wiseman 1996, 1045).

Documentando su tarea (continuación)

Si el estudiante no adopta nuestra recomendación, tal como lo explicamos anteriormente, entonces todas las citas pueden ser incluidas *al final de cada página*, o en *la última página del proyecto* con una página de "Obras citadas". Ambas opciones deben ser así:

- Dar una lista de cada fuente que haya sido citada en esa página o en el proyecto

- En orden alfabético de apellido del autor

- Y añadir la fecha de publicación e información del editor

Cómo crear una página de "Obras citadas" al final de su tarea

La siguiente es una explicación más completa de las reglas sobre citas:

1. Título

El título "Obras Citadas", debe ser usado y estar centrado en la primera línea de la página de citas (el único espacio es el margen de la hoja, no inserte ningún espacio antes del título).

2. Contenido

Cada referencia debe incluir:

- El nombre completo (primero el apellido, una coma, luego el nombre y punto)

- La fecha de publicación (año y un punto)

- El título (tomado de la tapa del libro), y cualquier información especial como impresión editada (Ed.), segunda edición (2ª Ed.), reimpresión (Reimp.), etc.

- La ciudad donde se localiza la casa editora; dos puntos, y el nombre de la editora.

3. Forma básica

- Cada pieza de información debe estar separada por un punto.

- La segunda línea de la referencia (y las siguientes líneas), debe estar tabulada una vez (una sangría).

- El título del libro debe estar subrayado (o en *cursiva*).

- Los títulos de artículos deben escribirse entre comillas (" ").

Por ejemplo:

Fee, Gordon D. 1991. *Gospel and Spirit: Issues in New Testament Hermeneutics.* Peabody, MA: Hendrickson Publishers.

Documentando su tarea (continuación)

4. Formas especiales

Un libro con autores múltiples:

> Kaiser, Walter C., y Moisés Silva. 1994. *Una Introducción a la Hermenéutica Bíblica: En Búsqueda del Significado.* Grand Rapids: Zondervan Publishing House.

Un libro editado

> Greenway, Roger S., ed. 1992. *Discipulando la Ciudad: Una Propuesta Comprensiva para Misiones Urbanas.* 2ª Ed. Grand Rapids: Baker Book House.

Un libro que es parte de una serie:

> Morris, León. 1971. *El Evangelio Según Juan.* Grand Rapids: Wm. B. Eerdmans Publishing Co. Comentario Internacional del Nuevo Testamento. Gen. Ed. F. F. Bruce.

Un artículo en un libro de referencia:

> Wiseman, D. J. "Salén". 1982. *Diccionario Nuevo de la Biblia.* Leicester, Inglaterra - Downers Grove, IL: InterVarsity Press. Eds. I. H. Marshall y otros.

(En las próximas páginas hay más ejemplos. Vea también el ejemplo llamado "Obras citadas").

Para más investigación

Las normas para documentar obras académicas en las áreas de filosofía, religión, teología, y ética incluyen:

> Atchert, Walter S., y Joseph Gibaldi. 1985. *El Manual del Estilo de MLA.* New York: Modern Language Association.

> *El Manual de Estilo de Chicago.* 1993. 14ª Ed. Chicago: The University of Chicago Press.

> Turabian, Kate L. 1987. *Un Manual para Escritores de Tareas Universitarias, Tesis y Disertaciones.* 5ª edición. Bonnie Bertwistle Honigsblum, Ed. Chicago: The University of Chicago Press.

Documentando su tarea (continuación)

Obras citadas

Fee, Gordon D. 1991. *El Evangelio y El Espíritu: Asuntos de Hermenéutica Neo Testamentaria.* Peabody, MA: Hendrickson Publishers.

Greenway, Roger S., Ed. 1992. *Discipulando la Ciudad: Una Propuesta Comprensiva para Misiones Urbanas.* 2ª Ed. Grand Rapids: Baker Book House.

Kaiser, Walter C., y Moisés Silva. 1994. *Una Introducción a la Hermenéutica Bíblica: En Búsqueda del Significado.* Grand Rapids: Zondervan Publishing House.

Morris, León. 1971. *El Evangelio Según Juan.* Grand Rapids: Wm. B. Eerdmans Publishing Co. *Comentario Internacional del Nuevo Testamento.* Gen. Ed. F. F. Bruce.

Wiseman, D. J. "Salén". 1982. En *Diccionario Nuevo de la Biblia.* Leicester, Inglaterra-Downers Grove, IL: InterVarsity Press. Eds. I. H. Marshall y otros.

Made in the USA
Las Vegas, NV
22 September 2021